LIRE GUILLEVIC

LIRE GUILLEVIC

avec

Marcel Arland, Marie-Claire Bancquart, Georges-Emmanuel Clancier, Lucette Czyba, Jean Dubacq, Jean-Yves Debreuille, Etiemble, Serge Gaubert, Bruno Gelas, Gilles Lebreton, Philippe Legrand, Jacques Madaule, Pierre Michel.

PRESSES UNIVERSITAIRES DE LYON

Lire Guillevic / avec Marcel Arland, Marie-Claire Bancquart, Georges Emmanuel Clancier, Lucette Czyba... [et al.] : [présentation de Serge Gaubert]. - Lyon : Presses universitaires de Lyon, [1983]. - 200 p. ; 21 cm.

La couv. porte : Serge Gaubert présente : Lire Guillevic...

ISBN : 2-7297-0189-3.

SOMMAIRE

PRÉSENTATION

Les dimensions d'une œuvre qui compte plus de vingt titres et qui se poursuit, la notoriété de l'homme Guillevic, ce qu'on sait de ses engagements et de ses refus, tout concourt à rendre malaisé le choix d'un qualificatif susceptible de dire, même imparfaitement, la différence qualitative d'un univers poétique dont on sent, à le parcourir, la profonde unité. Alors on est tenté de privilégier un aspect et de tout ramener à une simple formule : Guillevic poète matérialiste pour les uns, poète militant pour les autres, ou encore barde breton, ou bien, parce que la brièveté de sa phrase et la position de ses accents font penser aux maîtres japonais du haïku, « haïjin ». Les études qui composent cet ensemble font justice de ces définitions, les unes très explicitement comme celles d'Etiemble ou de Jean-Yves Debreuille, les autres de façon indirecte. Toutes, en dépit des différences d'approche ou de méthode, se rencontrent sur un certain nombre de points qui, réunis, dessinent une figure plus juste de la poésie de Guillevic. Plus riche aussi et plus complexe. Par là le titre de cet ensemble : *Lire Guillevic* trouve son sens. Le lire et, sans trop s'imposer, le donner à lire.

Le livre est composé de plusieurs massifs. Sous des formes très diverses : d'un témoignage, celui de Marcel Arland à une lettre, celle adressée à Guillevic par un jeune aveugle ou à des études comme celles de Jean Dubacq, de Jacques Madaule ou de Georges-Emmanuel Clancier, les contributions qui composent le premier ensemble tentent toutes de situer l'œuvre de Guillevic. De dire l'originalité de sa voix et de retrouver le tracé de son itinéraire. Le second ensemble réunit des études plus nettement focalisées. Chacune portant sur un ouvrage précis, elles se succèdent ici dans l'ordre où (des *Trente et un sonnets* à *Vivre en poésie*) se succédèrent en librairie les livres du poète. Nous sommes heureux de proposer en ouverture du troisième massif les premiers poèmes que Guillevic publia, en 1938, dans les Feuillets de « Sagesse ». Nous donnons ainsi aux lecteurs la possibilité de remonter jusqu'à la source du fleuve. Cette réédition précède trois études, dominées par celle d'Etiemble, qui essaient, diversement, de tirer au clair les caractères spécifiques de l'écriture de Guillevic. Et c'est le poète lui-même qui a enrichi le dernier ensemble d'une notice autobiographique qu'il a intitulée : « Des dates ». Je l'en remercie comme je remercie Lucie Albertini pour sa contribution discrète mais efficace et amicale.

Serge GAUBERT

Lorsqu'ils ne précisent pas, les auteurs des différentes études renvoient le lecteur à l'édition originale des ouvrages de Guillevic publiée chez Gallimard. Ils ont cependant préféré faire référence à la réédition en poche, Poésie Gallimard, des deux volumes suivants : *Terraqué*, suivi de *Exécutoire* (1968), et *Sphère*, suivi de *Carnac* (1977).

SITUATION ET PARCOURS

JEAN DUBACQ

SITUER GUILLEVIC

Autour du front bouillonnant des surréalistes, une couronne d'autres poètes, souvent trop large pour le ceindre, à la fois conservait les ornements des symbolistes et se voulait d'un dessin nouveau. Laissons les premiers aux académies, avec tous les mérites qui s'y perpétuent. Par commodité, attribuons aux seconds comme origine plusieurs fois divisée, l'un des courants les plus émancipateurs de l'inépuisable Apollinaire.

A cette époque, environ 1924, dans une Alsace encore nourrie de ses particularités historiques, étudiait au lycée d'Altkirch, un jeune breton né à Carnac, à mille kilomètres de là, nommé Eugène Guillevic. Son professeur de philosophie, que Guillevic, bien plus tard, qualifiera amicalement de « vicieux », lui révéla l'existence du vers libre. Il alla jusqu'à lui confier le *Manifeste du surréalisme*. L'élève qui s'attendait à d'autres surprises, restitua le document en déclarant : « Je ne vois pas ce que cela ajoute à Rimbaud, sauf que c'est scolarisé ».

L'éloignement, au ras d'une frontière, joua-t-il inconsciemment ? André Breton et ses turbulents amis vivaient à Paris, ne scandalisaient que Paris et quelques grandes villes. Mieux que provincial, Guillevic était campagnard, *autre ;* et, malgré la succession de ses résidences citadines, il ne devait cesser d'affirmer qu'il le restait. *Ville,* où le roc autrefois chanté admet le béton, est le poème d'un combat sans victoire, l'approche d'un monstre apprivoisé. Guillevic ne récuse pas ses rêves, même s'il redoute les cauchemars ; seulement l'exquis délire dont Desnos s'enivrait, le laisse des plus méfiants. « J'aime voir clair », dit-il, avec pourtant moins de certitude que Monsieur Teste.

Dans cet éclairage, les parentés de Guillevic avec ses contemporains apparaissent plus comme des cousinages que

11

comme des fraternités. Quant aux filiations, il faudrait les chercher dans les panthéons culturels où tout écrivain est contraint de puiser. Encore s'agirait-il surtout du ton de l'inspiration, des rapports toujours remis en question du poète avec le monde ; car, pour la forme, peu d'armes copiées chez les anciens (excluons les sonnets) qui puissent s'adapter à son geste. Lamartine, par un hasard attendri, Rimbaud bien sûr, Baudelaire que, nommé fonctionnaire de l'administration des Finances, il emportait dans sa poche en quittant l'Alsace pour Paris : il n'y a guère lieu d'insister. Ces grands noms figurent sous la vaste accolade qui regroupe les références à notre culture.

Or, Guillevic écrit *dans* et *pour* un vingtième siècle peut-être plus durablement marqué par les révolutions artistiques et littéraires que par des révolutions politiques si souvent décalées par rapport aux esprits. Malgré les mutations administratives — celles de son père, gendarme, puis les siennes — qui le tiennent dans l'ombre de provinces qu'il n'a pas choisies, il n'ignore pas les courants esthétiques modernes. Pour lui, pourtant, point de brasserie en marge de Montparnasse où rencontrer Reverdy, Max Jacob ou Fargue. Cet avantage, Jean Follain, provincial et réfractaire au surréalisme lui aussi, lui en fera profiter, d'une manière différée pourrait-on dire, en devenant son ami, au point de l'aider à publier ses premiers poèmes importants.

Au-delà de l'affection, Jean Follain est le poète de sa génération qui demeure l'un des plus proches de Guillevic. Par les ressemblances du cheminement. Par une identité de vue qui acceptera de fraternelles différences. Le même mode indicatif d'une poésie attentive aux objets intercesseurs rassemble l'imparfait modulé de Follain et le présent obstiné de Guillevic. Quand Follain voit une bêche plantée dans l'herbe, il convie les temps anciens et le temps actuel à consolider ensemble les splendeurs inquiètes du monde. La « durée » de la bêche interfère alors dans un ordre cosmique bloqué sur l'image comme par une touche de magnétoscope dont la mécanique tourne encore. Devant la bêche, Guillevic établira deux constats, sûrement dans la forme définitive de la sentence, qui, dans leur écart suggéreront la question à poser sur la nécessité de l'outil apaisé et disponible, planté dans cette terre qui le retient mais qu'il devra vaincre. Follain résout, en encadrant un tableau achevé. Guillevic laisse flotter la toile avec ses blancs concertés. Les exemples de ces deux démarches sont trop nombreux pour qu'un choix n'apparaisse pas arbitraire. Si ces différences n'exprimaient pas une sorte de convergence vers une conception poétique identique quant au fond, comment se seraient-ils si bien pardonné des attitudes politiques et philosophiques opposées ? Ce Follain, catholique par goût des fastes et du rituel plus que simplement chrétien, conservateur pour pouvoir décréter sans rivaux les raffinements du passé, amoureux d'une enfance, plus belle, comme certaines femmes, de n'exister plus que dans la mémoire, comme il aurait dû se tenir loin d'un Guillevic alors communiste par espoir de ne pas désespérer, qui rejette une enfance sinon malheureuse, du moins sans tendresse ! Pour Follain, le français est la seule langue digne de nommer les choses, sans doute parce qu'elle est la sienne et que sa Normandie est la province entre toutes généreuse en peintres et écrivains. Guillevic a appris le français dans la perfection d'une langue quasi hiératique, maniée par les élites, au cœur du breton de Carnac et du dialecte alsacien de Ferrette. La pratique de l'allemand lui a rendu familière la poésie romantique d'Outre-Rhin et il a participé à la traduction de nombreux textes d'auteurs des pays de l'Est. Follain est un prosateur de grande race, maître d'un contrepoint implacable. On ne connaît d'œuvre en prose de Guillevic que *Vivre en poésie* (1) ; encore s'agit-il de la transcription « d'entretiens » avec des interlocuteurs privilégiés, parole assurée plus qu'écriture liée à son propre domaine. Ce refus de l'aventure-prose fait de lui le « poète pur », à qui s'est imposée une forme qu'il pourrait ne pas avoir volontairement choisie ni inventée mais « subie », mode impérieux d'expression auquel il ne peut renoncer sans renoncer à lui-même. Sa force sera de n'avoir tracé qu'un seul sillon mais à la dimension de ses meilleures semailles.

Dans cette génération dont les représentants prennent conscience d'eux-mêmes quand le surréalisme, après tant d'éclatements et d'éclats s'apprête à devenir un mythe de braises chaudes, le « concret » prétend succéder au « brillant » hasardeux, mais sans les prosaïsmes enflammés de Cendrars et à l'écart des trop savantes lentilles métaphysiques de Ponge. Les belles manières d'une rhétorique qui s'est trop diversement déguisée sont devenues suspectes. L'Ecole de Rochefort, qui se refuse à être enseignement, naît dans l'estuaire de la Loire. Malgré des adversaires communs en ces temps noirs de l'Occupation (il a rejoint Eluard dans la Résistance, et s'appelle Serpières), Guillevic demeure assez loin des amis de Jean Bouhier qui le publieront cependant. Une publication de la collection *Comœdia-Charpentier* de 1943, (curieusement financée par des publicités de grands

(1) Stock.

parfumeurs comme s'il avait été alors plus facile de se parfumer que se nourrir !), *La jeune poésie*, présentée par Léon-Paul Fargue et Marcel Arland, place Guillevic près de Jean Follain, mais aussi en compagnie de Patrice de La Tour du Pin et de Pierre Emmanuel : éloquent résumé de la diversité qui se proposait jusqu'au trouble à tout poète débutant. Et aussi vérification non concertée de l'unicité de voix de Guillevic qui, déjà, empile les silex dont il devait faire une si longue traînée. Le présentateur — Marcel Arland sans doute — évoque la Bretagne élémentaire et les choses humbles que la dizaine de brefs poèmes « délivrent ».

Plus tard, un autre poète, Paul Chaulot, disparu avant l'achèvement d'une œuvre dont il faudra bien reconnaître la valeur, méritera semblable référence à cette magie de la « délivrance ». En décryptant pierres et oiseaux comme des symboles, en tentant par la mutation d'un langage très concis, voisin, malgré les accueils plus musicaux, de celui de *Terraqué* ou de *Carnac*, de déchiffrer les signes masqués par l'apparence-existence-évidence des objets, il partage les préoccupations de Guillevic. Cette ressemblance dans le cas Chaulot, est l'aboutissement d'une longue boucle au riches sinuosités. Au contraire, le trop rare Pierre Mohrange, ancien ami d'Eluard, aîné de Guillevic et confiant comme lui dans l'effet résonateur des raccourcis aurait pu, dès ses débuts, confirmer son rôle de précurseur s'il s'était montré moins modeste et plus abondant. Entre ces trois noms, rien cependant qui ressemble à l'imitation ou aux emprunts. Plutôt le courant d'une époque qui, en des points différents, porte les esprits vers une même rive.

Chaulot n'est plus. Mohrange se tait. Guillevic se poursuit du même ton comme on prolonge par amitié une visite parmi ses semblables. L'un des rares poètes retenu par un grand éditeur, il est célèbre pour des vérités précises et des raisons ambiguës. Contempteur d'une société dont il conteste les fondements, il est honoré par elle. Aragon profita encore plus de cet état d'otage, pour cause de talent, d'une élite consacrée qui aurait dû le repousser, pour cause de subversion. Guillevic éprouve ainsi autant de plaisir à se laisser inviter chez des princesses qu'il ressentit naguère de fierté à être honoré par les écrivains des pays de l'Est. Dans ces conditions, comment n'aurait-il pas suscité de nombreux épigones ? Silhouette, présence d'un être qui ne dément pas l'œuvre, c'était bien « créer le poncif » dont parle Baudelaire.

Pourtant, ce serait simplifier — à l'instar des suiveurs qui croient refaire *Paroi* en écourtant leurs vers — que définir à travers un auteur, fut-il important, une école des rapports à l'objet réduite à une forme unique d'écriture : la poésie contemporaine nous propose des paysages côte à côte mais nous refuse encore un panorama dominé. Ce serait simplifier encore que raccrocher un Guillevic conventionnellement de granit à une Bretagne perdue : il faut bien naître quelque part et l'homme Guillevic, par ses activités autres que littéraires a depuis longtemps débordé sa province. Les futurs biographes constateront combien, comme la plupart des meilleurs poètes de l'après-guerre, il n'aura eu besoin ni de la bohème, ni de la malédiction. L'étroit chemin typographique qu'il dessine depuis *Requiem* n'a cessé de l'accompagner mais ne l'a jamais conduit hors de son siècle. Si tant de strophes — ces quanta, comme il dit maintenant — largement jointoyées, livrent le meilleur d'une solitude habitée, l'être humain reste présent au monde. Il a travaillé. Il a aimé. Il a milité. Et douté. Et désespéré. Et raté. Et triomphé. Ou échoué à demi. Poète sans nostalgie, interrogateur dans des tensions de face à face d'une réalité qui se défend par son évidence, il se révèle en société bon-vivant, boute-en-train, avec la fluide mémoire des raconteurs — conteurs ? — d'histoires. Il ne lui répugne pas de chanter au dessert des complaintes réalistes ou des chansons de marin. Longtemps militant, il a conquis le droit de juger superflu l'engagement « affiché » de poète. Se soucier de la poésie « essentielle » suffit et vivre selon elle n'est pas si facile. A soixante-quinze ans, bien installé dans sa bonhomie et ses exigences, il est devenu un personnage que le cinéma et la télévision n'ont pas dédaigné. Il encourage le jeu, un peu ambassadeur, un peu premier de la classe, mais jamais dupe ni lointain. Inoubliable pour qui l'a vu une fois, envoûtant pour qui a échangé trois mots avec lui, il possède, paraît-il, en réserve, la matière de plusieurs recueils...

Guillevic serait-il un de ceux pour qui rien n'existe de dernier ?

Il semble pourtant n'avoir écrit que du définitif, à la façon du sculpteur qui, dans l'attaque d'une pierre dure, se résout à travailler par larges pans, volutes larges, stimulé par une matière qui refuse le poli charnel du marbre, les dentelles d'un calcaire docile. Guillevic qui voit mal — mais les statues se touchent —, qui affirme avoir peu d'odorat — mais la pierre ne sent que le chaud ou la fraîcheur —, ressemble-t-il à ce sculpteur prodigue de sa force et économe de ses effets ? Il appelle justement les poèmes des « sculptures du silence ». Les siennes, peuple devenu nombreux, appartiennent à un clan de consanguins, réfractaires aux alliances. Car, finalement, il n'existe qu'une façon de décrire la situation de Guillevic parmi ses pairs : dire d'où il ne vient pas, dire à qui il ne ressemble pas. Un isolement contre la solitude.

Jean DUBACQ

Marcel ARLAND

SALUER UN VRAI POÈTE

Ce que j'aime, ce qui m'émeut avant tout dans la poésie de Guillevic, c'est sa simplicité fondamentale, qui répond à un goût, un besoin de l'essentiel, et c'est pourquoi le poète unit la prudence à l'audace, redoute les pièges d'une harmonie trop flatteuse, ne craint ni la rigueur, ni les ruptures, ni le silence : de là, sa force.

Suivez-le, tandis qu'il soupèse et avance les mots d'un départ, s'interrompt, passe à une autre donnée, coupe un rythme, lance un trait inattendu — et soudain tout se compose, s'éclaire, prend figure et sens, devient un poème.

Cette création me touche d'autant plus qu'elle repose sur des éléments plus « communs », qui s'offrent dans leur nudité. Il s'agit peu de palais ou de temples, chez Guillevic, de princes ou de passions fastueuses ; mais surtout de ce qu'il nomme des « choses », et ce peut être un mur, un bâton, un coup de vent, un meuble... Ainsi dès le premier poème de *Terraqué* :

> L'armoire était de chêne
> Et n'était pas ouverte.

Bien, voilà la « chose », le lieu, la source. A présent, l'action :

> Peut-être il en serait tombé des morts
> Peut-être il en serait tombé du pain.

Action suggérée, virtuelle, mais où se résument, pour tout homme, les conditions et les lois de la vie. — Enfin le chant, qui redouble et accentue à la façon d'une ballade :

> Beaucoup de morts
> Beaucoup de pain.

C'est tout. Là-dessus, entrez dans la ronde...

Voilà comment, par courts poèmes et brusques illuminations, Guillevic restitue et interroge son univers. Il m'y semble poussé par deux causes. L'une vient de loin, de l'enfance sans doute et de la peur que donne à un enfant le mystérieux pays qui l'entoure, et ne cessera plus de l'entourer ; c'est pour dominer cette crainte et apprivoiser ce pays, qu'il en nomme et affronte les menaces. Mais en même temps, c'est par là qu'il traduit ce besoin d'accueil et d'amour, qui se manifeste de plus en plus dans son œuvre.

Guillevic n'a rien renié de ses débuts, de ce *Terraqué* qui vint au jour voilà quarante ans, et où je me plus à saluer aussitôt un vrai poète.

Mais que de gains depuis lors ! Quelle ampleur dans son dernier livre : *Trouées*, particulièrement dans les deux longs poèmes qui le couronnent : *Magnificat*, ce fiévreux cantique, et l'admirable *Vitrail*, où la fraîcheur des peintures, la diversité et le profond accord des scènes, proposent tout ensemble un homme, une vie et un monde.

Marcel ARLAND

SERGE GAUBERT

L'ÉCART ET L'ACCORD
DU «REQUIEM» AU «MAGNIFICAT»

Le premier ensemble de poèmes que Guillevic publia portait pour titre *Requiem*. C'était en 1938. Dans *Autres* qui parut en 1980 une longue pièce s'intitule «Magnificat». Le plus étonnant n'est pas que ce poète matérialiste soit resté par delà les ans habité par la mémoire du rituel chrétien mais qu'il soit allé, mûrissant, du chant de mort au chant de gloire. Quelle conquête entre les deux? Sur qui? Sur quelle peur?

Les poèmes qui composent *Requiem* et que nous sommes heureux de pouvoir rendre accessibles à nouveau aux lecteurs (voir plus loin, p. 143) sont tous dominés par une même hantise. Le pin, la vache, le hanneton ou la fourmi sont morts. Le poète s'intéresse à leur disparition, à leur effacement. L'ensemble cohérent, désignable, «dessinable» qu'ils constituaient se disperse. Le mot par quoi on les qualifiait ne convient plus à ce qu'ils sont en train de devenir. Le pin n'est plus qu'une «blessure», la fourmi «un cadavre à peine», la vache «un tas», le hanneton un «schéma d'insecte», une «épluchure». Le poème ne pose, dans son titre le plus souvent, le terme spécifique (sans artice : Pin, Vache...) que pour lui substituer d'autres termes et cette substitution mime ou figure non point l'évanouissement de l'être dans un néant quelconque ou glorieux mais son absorption dans l'autre. Le soleil desséchera l'écureuil et les mouches suceront sa chair ; la vache va pourrir et «nous la mangerons dans le pain». La nature ne connaît pas de repos. C'est folie que d'attendre du Seigneur qu'il l'accorde (Requiem dona eis...) aux hommes après leur mort. L'existence passe à trembler ou à battre, un temps dont on ne connaît pas le terme, avant de se défaire pour devenir autre.

L'unité, l'identité — ce qui me constitue comme sujet — ne résistera pas à la logique qui fait de la dispersion la condition même de la vie. De le savoir, de savoir que tout se construit dans le moment, et le mouvement, où tout se dissout ne suffit pas à nous rendre supportable cette instabilité. Car enfin, cet amas hasardeux d'éléments tentés par d'autres polarités, cette construction vite gagnée par l'usure, n'est-ce pas illusion que de lui donner un nom et de le lui garder identique à lui-même ? Qui suis-je sinon échange et combustion ? Qui sinon cet autre qui naît de ma mort lente ? Si je meurs sans fin à moi-même, comment me reconnaître ?

> Va, tout se fait sans toi et le froment mûrit :
> ...
> Au sommet de l'été, il ne restera rien
> A quoi te reconnaître. (*Requiem*, p. 146)

La vie fabrique constamment des différences et, tout aussi constamment, les sacrifie. Elle distingue (on reconnaît un brin de bruyère) et confond (la bruyère bientôt devient miel). Il y a ainsi en chaque être la possibilité ou le risque de devenir l'autre. Il suffit que l'attention ou la tension se relâche et ça ne tient plus, ça retourne à l'indifférencié avant de se recomposer et de se refaire, tout autrement, une identité. Dans l'univers de Guillevic, nul n'échappe à la peur de l'indifférenciation. Chaque objet, chaque être y est pris dans un vertige d'identité, habité par la crainte de se laisser emporter, déborder, d'être « dissous dans l'humus » (*Terraqué*, p. 37) ou de « devenir nuage » (*ibid.*, p. 145). La conscience « traquée » qui s'exprime par les cris (« ce qui crie défaite », *Avec*, p. 79) ou ce « silence qui hurle » est conscience de ne pouvoir résister au tourbillon qui emporte vers un autre état de l'être.

> Oui, fleuves — oui, maisons,
>
> Et vous, brouillards — et toi,
> Coccinelle incroyable,
>
> Chêne creux du talus,
> Ouvert comme un gros bœuf,
>
> Qui ne vous entendrait
> Criant comme des graines
> Sur le point de mûrir ? (*Terraqué*, p. 75)

Mûrir c'est mourir. Et la graine n'est plus perçue comme ce qu'on sème mais comme ce qu'on « expulse » (*Autres*, p. 146). A cet effroi répond l'affirmation heureuse d'un équilibre tenu, d'une identité qui se reconnaît et jouit de soi. Il arrive en effet que l'on éprouve la satisfaction d'habiter parfaitement son domaine, de le remplir sans crainte d'échapper à ses propres limites. On les parcourt, on se sait alors partie respectée d'un univers pacifié. Entre repliement sur soi et abandon à l'autre, on a trouvé l'équilibre, on ne crie plus, on goûte au charme de vivre avec l'autre, en harmonie. Comment ce bonheur l'emporte-t-il sur l'effroi ?

On ne se connaît, on ne se possède vraiment soi-même que dans le rapport à l'autre. Il faut en effet l'éloigner de nous, l'éprouver comme différent, circonscrire son domaine, mesurer la distance qui nous sépare et puis faire que, de ce point où il est, de cet espace qu'il occupe et qui n'est pas le nôtre il nous reconnaisse. Parce qu'il peut y avoir confusion de domaine et d'identité, rien de plus urgent que de marquer les distances ou les différences. Face à face deux unités closes sur leur identité. La reconnaissance de l'un par l'autre suppose le retrait préalable de chacun en soi. Guillevic apparaît ainsi d'abord comme très étranger au rêve d'une vie fusionnelle ou « unitive » qui anime un poète tel que Rimbaud. L'indifférenciation première que certains esprits tentent de retrouver, c'est d'elle que spontanément il s'éloigne. Ce temps d'avant le temps qu'ils qualifient de vraie vie, cette enfance en paradis où l'homme est le monde, il y verrait plutôt une définition de la mort. Et s'il usait, après tant d'autres, de la formule : « je est un autre », ce serait pour en retourner le sens : je n'accède à ma propre maîtrise que comme différent de l'autre ; je suis l'autre de l'autre. La distance d'une certaine façon fait proximité, puisqu'elle permet la reconnaissance réciproque.

> J'étais dans mes profondeurs
> Elles rejoignent. (*Avec,* p. 77)

Le mot « respect » qui suppose attention et distance gardée prend un sens qui n'est pas de simple politesse dans le texte de Guillevic.

Le langage est le domaine où joue de la façon la plus remarquable cette dialectique de la proximité et de l'éloignement. Les mots qui nous permettent de nommer êtres et choses, on les appelle très significativement des termes. Guillevic aime ce vocable dont il a pensé faire le titre d'un de ces recueils. Le terme par quoi nous désignons, nous dessinons une chose, non seulement l'identifie, mais la délimite, la définit, la ferme sur elle-même. Et nous la rend saisissable — je peux la dire, la mettre en rapport avec d'autres, en faire un objet d'échange — et étrangère. Le terme (le mot) fixe le terme (la limite ou la paroi) qu'elle oppose à mon effort d'appropriation, la marque de son insurmontable étrangeté. Je peux dire la mer ou la mort, j'accède alors à la notion de ce qu'elles sont, je peux trembler ou rêver, ni l'une ni l'autre ne se livre à moi, je reste à l'extérieur ; la mer et la mort sont au-delà du terme qui les délimite de mon côté. Guillevic pourrait bien faire sienne la forte définition de Victor Hugo décrivant dans *Les Contemplations* (I, 8) l'apparition de cette « figure, le mot, le terme, type on ne sait d'où venu, face de l'invisible, aspect de l'inconnu ». Un poème de *Sphère*, précisément intitulé « De ma mort » joue sur ce mot terme, sur le mot terme. En voici un extrait :

> Si elle avait voulu
>
> Tout autant de moi
> Que je voulais d'elle,
> Ma terre,
>
> Il n'y aurait pas eu
> De terme à notre amour.
>
> Au bord le plus souvent
> De quelque chose de géant
> Qui m'en voudrait.
>
> Parfois après l'a pic
> Et parfois de plain pied,
>
> Quelque chose de clos
> De hérissé, de lourd,
> Qui serait là.
>
> Un poème peut-être
> Ou la fin de mes jours.
>
> Parce qu'il y a terme
> A ces jours devant toi,
>
> Que d'aller vers ce terme
> Fait par-dessous tes jours
> Un creux qui les éclaire,
>
> Tu as le goût
> De ces rapports qui sont de joie
> Avec les murs et le rosier. (*Sphère*, pp. 22-23)

La privation, la séparation et finalement la mort fondent la relation à l'autre par le langage. Le terme (la mort) donne son poids au terme (le mot) et à cet ensemble de termes qu'est le poème. Ainsi se trouve fondé le rapprochement entre « un poème » et « la fin de mes jours ». A l'inverse, si, à l'origine « ma terre » (est-ce trop solliciter le texte que d'entendre, sous ces deux mots, ce troisième : mater ?) avait établi avec «moi» des rapports d'inclusion et d'identité, si la terre, la mater, ne m'avait pas expulsé, non seulement il n'y aurait pas eu de terme à notre amour, mais au sens absolu du mot, il n'y aurait pas eu de terme. Le poète n'aurait pas eu ce goût des définitions (définir, c'est mettre un terme) et des rapports de joie avec les murs et le rosier. Il n'y aurait pas eu de poète.

Le poème institue un ordre des relations et des rapports à distance. Un ordre du respect. Il commence le plus souvent par poser un terme, dénommer. Un substantif lui donne un centre de nous éloigné. Dans *Euclidiennes*, chaque page accouple nom et figure géométrique, signe et figure d'une existence autre, fermée. S'il aime la netteté du substantif, le poète bannit en revanche l'adjectif. Trop indécis, trop imprécis, impressionniste, l'adjectif rend les contours flous, il assimile, contamine ; avec lui on ne sait plus exactement où commence et où finit le terme.

> Des adjectifs
> Qui, comme d'habitude
> Ont l'air d'accueillir
> Et qui vous diluent. (*Ville*, p. 10)

Point de métaphore non plus, peu de comparaisons puisqu'il faut laisser chaque élément à lui-même. Rien qui ressemble dans la conduite de la phrase à cet abandon voulu et voluptueux aux hasard des rencontres qui fit les belles nuits des surréalistes. Breton revendiquait le droit poétique à l'union libre ; Guillevic lorsqu'il parle de sa propre pratique préfère avoir recours au terme de sacrifice. Par exemple dans *Inclus* (p. 53) :

> Ecrire,
>
> C'est poser
> Déposer sur la page,
>
> Ce qui n'existait pas
> Avant le sacrifice.
>
> ...
>
> Ce qui fut sacrifié
> Ne saigne pas, moignon
> A la sortie.
>
> ...
>
> Et maintenant,
> Il est lisible, détaché
>
> De cet homme qui célébra
> Sur lui-même
> Le sacrifice.

Ecrire ou détacher de soi pour rendre lisible ; une fois posés les termes dans leur extériorité et leurs différences creuser l'espace entre eux. Un espace qui, comme dans le rituel sacré, les sépare et les lie. La frontière que le rituel a pour mission de faire respecter, de rendre sacrée, parce qu'elle est de tous reconnue, fixe chacun dans sa définition et sa relation à l'autre.

On comprend ainsi que le poème, pour Guillevic, soit « sculpture de silence », ellipse, simple — mais est-ce si simple ? — tracement d'une courbe, creusement d'un espace résonnant entre deux pôles distants.

> Peu de paroles,
> Car trop de paroles
> Bouchent le creux,
> Et la résonance : adieu. (*Inclus*, p. 191)

Poème pour dire non tellement ce que tel être est en lui-même — on ne traverse pas la paroi — mais ce qu'il est dans son rapport à l'autre. Pour provoquer de l'un à l'autre, dans ce face à face de respect, reconnaissance réciproque. A un ordre dominé par le risque de l'indifférenciation la pratique poétique substitue un ordre de la différence. « Vivre en poésie » c'est vivre dans un univers qui a trouvé ses coordonnées (encore un titre de Guillevic) et où la peur n'est plus aussi présente. La confusion, le débordement des limites fixées, des termes est toujours possible. La porte de l'armoire peut céder ; l'étang pourrait se « mettre debout », venir « devant les vitres », baver « des joncs et des têtards » (*Terraqué*, p. 75) mais on sait qu'on peut espérer faire face.

On sait même que si le sacrifice est réussi, on pourra de cet étang effrayant « écouter la musique » (*Trouées*, p. 171). La pratique poétique ne modifie si profondément le rapport de l'homme avec le monde que parce qu'elle le modifie lui-même dans son rapport à soi. Les séquences d'*Inclus* qui sont consacrées au sacrifice, à l'écriture comme exercice sacrificiel, ordonnent la cérémonie de façon étonnante et révélatrice. Celui qui procède au sacrifice est aussi celui sur qui porte le sacrifice et aussi celui à qui il est destiné. L'officiant, la victime et le destinataire sont le même. Le don de soi, l'abandon de soi, est dévotion à soi.

> Celui qui sacrifie
> Qui sacrifie lui-même
> A peut-être lui-même. (*Inclus*, p. 105)

Le même apparent paradoxe fait l'intérêt du «portrait du poète en clown» qu'on rencontre ailleurs dans le même livre. Ce personnage se sacrifie lui aussi, il «s'immole à son rire», «lâche la mort sur lui» (*Ibid.*, p. 56) et atteint :

> L'apothéose
> Par le mépris
>
> Et même
> Par son propre mépris.

L'apothéose (on retrouve le terme dans «Vitrail», *Trouées*, p. 133) par le sacrifice, la dérision, l'abandon, l'amputation d'une partie de soi. L'apothéose comme une naissance glorieuse qui doit se payer d'une mort. La scène du sacrifice suppose dans la personne un clivage entre deux instances : celle qui sacrifie, celle qui est sacrifiée ; peut-être même entre trois : celle qui sacrifie, celle qui est sacrifiée, celle qui, par le sacrifice, est, si l'on peut dire, «apothéosée». Au moi embourbé dans l'étang («Et si tu n'avais pas encore/ Quitté l'étang ?/ Si tu étais encore/ Avec la touffe d'herbe/ A te débattre en lui ?/ (*Inclus*, p. 117), au moi des labyrinthes, des bas-fonds (*Ibid.*, p. 46), du «noir qui est en soi» (p. 30), le sacrifice substitue un «je» «en marche vers l'apothéose» (p. 43) et qui a quelque parenté avec la puissance solaire (p. 38). Cette façon par le sacrifice de sortir de l'étang, n'est-ce pas celle du crapaud à qui Guillevic a consacré un poème récent ? Séparé de ces «algues», «cailloux», «boues et touffes d'herbe», au bord de sa mare, le crapaud fait monter ses orgues. Et voici qu'il fait soleil et vent. Le crapaud arraché à sa nuit rejoint le soleil par son chant, il (on peut bien définir cet indéfini et l'interpréter comme renvoyant au crapaud) fait soleil sur la mare où on dirait que tout dort. Apothéose encore de l'immolé (le terme est dans le texte, p. 103), de celui qui a choisi le sacrifice.

> Où le crapaud
> A t'il donc pris ce goût
>
> De ce qui le rejette
> Au bord des mares ?
>
> Voici le soir,
> Voici la nuit,
>
> Quelque peu de lueur,
> Une étendue
>
> Et le crapaud se doit
> De parler d'autre chose. (*Trouées*, pp. 98-99)

Ecrire ou sortir de l'étang, écrire ou faire soleil sur la mare ; écrire ou s'écarter d'une partie de soi pour accéder à soi. Ecart, accord. Une image encore, peut-être celle dont la présence dans les poèmes de Guillevic est la plus insistante, je veux parler de l'image ou de la présence de l'Océan. Et plus précisément du titre qu'en 1979 le poète donna au recueil de poèmes écrits de 1965 à 1975. L'étier, ce canal qui relie les marais salants à la pleine mer, sépare et réunit deux étendues de la même eau. La même et différente pourtant. L'une, la haute mer, houleuse, profonde, noire, l'autre apaisée, lumineuse et sans profondeur. L'étier intéresse parce qu'il est le lieu d'un sacrifice (l'océan y est mutilé) et d'une transfiguration. L'océan y devient autre en restant lui-même, proche de soi, à l'écart de soi. Et c'est métaphore de la transformation que l'écriture impose au moi. Dans le travail des éléments — le soleil, l'eau et le vent — il y a l'océan, l'étier et les marais ; dans le travail de l'écriture il y a le moi antérieur (ça grouille, c'est profond comme l'océan ou l'étang), le moi qui écrit (l'étier) le moi qui est écrit (l'eau pacifiée du marais salant). Moi antérieur, moi qui fait barrage et communication, moi produit dans et par la création : on retrouve les trois instances à l'œuvre dans le sacrifice.

L'eau de l'océan passée par l'étier, qu'est-elle devenue ? Elle n'est plus indéterminée dans sa surface ni dans sa profondeur ; plus « incernable » ni insondable ; dessinée, limitée, elle est moins refermée sur ses secrets qu'ouverte au monde.

> Je veux te préférer,
> Incernable océan,
>
> Les bassins que tu fais
> Jusqu'aux marais salants.
>
> Là je t'ai vu dormir
> Avec d'autres remords. (*Carnac*, p. 146)

En elle le ciel se reflète et le soleil ; la terre la cerne et la divise ; les éléments s'y rejoignent sans cesse d'être parfaitement eux-mêmes. Mieux, elle travaille à rendre à chacun sa part : au soleil et au vent l'élément liquide, à la terre son sel. Eau éloignée de ses gouffres, sans tellement d'autre fonction que de servir de point de rencontre. Dans le terraqué, terre et eau se confondent, au-delà de l'étier, terre, vent, eau, soleil ont trouvé terrain d'entente. Le titre de 1979 renvoie à celui que Guillevic avait donné au recueil de poèmes qu'il avait écrits de 1932 à 1942. *Etier* à *Terraqué*. Par l'écriture — le passage de l'étier — le moi quitte ses labyrinthes pour s'installer au centre des choses, d'une certaine manière, il se détourne de soi (le clown se méprise et le crapaud ne chante qu'à l'écart de sa mare) pour devenir ce point idéal, ce plan sans épaisseur autour de quoi tout s'ordonne. Sacrifié, il trouve sa consécration, son apothéose, dans cette figure centrale, originelle — elle fonde l'ordre du monde — qui, dans le texte, prend indifféremment la forme pronominale du « je » ou du « il ». Ce « il » est le dernier mot, comme il en est le premier, du long poème « Vitrail » que Guillevic a placé en conclusion du recueil *Trouées* (voir p. 129 et 175). Très logiquement, même si c'est avec humour, cette troisième personne peut se présenter comme étant d'essence divine.

> Il se savait Dieu.
>
> Ce qu'on disait de Dieu
> Lui l'avait vécu. (*Autres*, p. 36)

L'écriture poétique divinise parce qu'elle divise, comme l'étier. Le « je » se détache de l'incernable moi — ce moi-même « hors mon pouvoir » (*Inclus*, p. 18) — pour devenir celui (ce « il ») par qui tout se dessine et s'ordonne. Il est au centre, il est le centre mais c'est sans paradoxe qu'on peut dire avec le poète qu'il est aussi simultanément en marge, aux marges du moi (comme le marais salant au marges de l'océan), aux marges de la réalité qu'il n'atteint que par ses termes. Pas très stable non plus : laissé à lui-même il s'évanouirait comme le marais que l'étier ne relierait plus à la mer. Il doit à chaque instant se rétablir dans son étrange identité en retournant à la source dont il provient, dont il s'écarte. A chaque instant refaire le sacrifice, se refaire par le sacrifice. Ecrire, c'est indéfiniment recommencer la cérémonie par quoi le moi se sacrifiant se sacre. Le « il », premier et dernier mot du poème « Vitrail », est à la fois producteur et produit du poème, il vit de la distance prise — toujours à reprendre — par rapport à ce moi « hors son pouvoir » qu'il suppose au moment même où il s'oppose à lui. Il mourrait de se laisser engloutir à nouveau dans ses labyrinthes, il mourrait d'en être définitivement coupé. Il s'agit pour lui de s'y enfoncer et de les « porter ailleurs » (*Inclus*, p. 178), de n'en pas perdre le fil (*Ibid.*, p. 190) ou l'étier. Alors de ce point instable où le porte l'aventure d'écrire, il peut avouer son assurance : « Tu consens / à tes labyrinthes » (*Ibid.*, p. 201). Ecart, accord.

On voit comment la psychanalyse pourrait expliquer, ou exploiter cette situation, elle aurait d'autant plus de matière que Guillevic, précisément parce qu'il se sait poète capable de consentir à ses labyrinthes parle de plus en plus librement, en particulier de tout ce qui regarde sa relation avec sa mère. L'origine m'intéresse moins que les résultats, moins les scènes primitives que les mises en scènes poétiques et surtout l'affirmation de l'impérieuse nécessité d'écrire. J'ai plusieurs fois pu observer, il m'est arrivé de le provoquer, l'étonnement de certains lecteurs, sans doute obnubilés par l'image du militant et du poète des *Trente et un sonnets*, lorsqu'ils l'entendaient affirmer qu'il ferait aisément sienne la formule de Proust : « La vraie vie, c'est la littérature ».

Qu'écrire permet de vivre, parce qu'écrire donne existence à ce moi qui peut consentir à soi, le poète n'a pas cessé d'en faire poétiquement la démonstration. Point de livre qui ne contienne ou ne constitue le récit de son propre avènement. *Terraqué* s'achève sur un « Art poétique ». Après une longue période stérile où, pour diverses raisons, l'étier ne jouait plus convenablement son rôle, le retour, en 1959, à une pratique poétique véritable devient le sujet du texte liminaire de *Sphère* qui s'intitule « Chemin » (Voir plus loin, p. 162). *Avec* énonce en huit poèmes huit définitions de l'activité poétique (« Du poète », p. 77 sq.). J'ai déjà parlé d'*Inclus. Paroi* qui précède de deux ans ce poème, donnait aussi à travers une méditation sur toutes les formes de la séparation — on se heurte à la paroi, mais on s'y appuie aussi, on s'y « adosse » — une définition de l'écriture comme travail sur la limite ou le terme : la paroi permet l'inscription et le scripteur pour finir souhaite « être paroi » pour « l'étendue » et « pour soi » (*Paroi*, p. 222).

> Parfois certaines choses
> Faisaient office de paroi
>
> Et l'on pouvait s'y adosser,
> Y faire une brèche,
>
> Essayer le dialogue
> Avec la haie, le mur, quoi d'autre ? (*Ibid.*, p. 33).

« Essayer le dialogue » avec la ville, écrire sur elle, autre paroi, tel est le propos avoué de *Ville* ;

> Ce que j'écris sur toit
> Ne te montre pas (*Ville*, p. 98).

Des deux recueils les plus récents *Autres* se ferme sur le « Dit du Pérégrin » (p. 135), *Trouées* sur « Magnificat » et « Vitrail ». Il ne s'agit pas ici de dresser un inventaire des poèmes du poème, plutôt, plus simplement, de noter ce qui, à travers ces textes divers, fait, selon les époques, constante et ce qui fait variation. Une constante très visible : dans chacun de ces poèmes apparaît au bout d'un chemin une femme accueillante (*Terraqué*, p. 112 ; *Carnac*, p. 153 ; *Sphère*, p. 14 ; *Etier*, p. 56 etc.). Apparition réelle ou rêvée, selon les cas, d'une inconnue. Toujours une inconnue ; il faut aller vers elle ou qu'elle vienne. Cette distance la destine à jouer un rôle salvateur. Aux images de l'horreur dominés par la figure de la marâtre s'opposent celles d'un amour vécu plus comme une entente, une proximité sereine que comme un délire des corps.

> Vivre c'est pour apprendre
> A poser sa tête
> Sur un ventre de femme.

La reconnaissance par l'autre, la connaissance de l'autre, de l'autre sexe, cet échange de deux différences inaugure ou confirme ou couronne le rapport avec le monde que l'écriture poétique établit. Ecrire ou aimer, écrire ou être aimé, deux façons d'être pour et par l'autre ; deux issues trouvées hors des labyrinthes et des chemins creux. On comprend ainsi que l'univers de Guillevic soit si fortement amarré au présent — ou tourné vers le futur — et que la nostalgie en soit absente. Comment souhaiterait-on retourner à la nuit antérieure ?

> Car la source n'est plus la source,
> Crachait des pierres, et dans la bouche
> Un bout de sein vieux. (*Terraqué*, p. 50)

La femme du bout du chemin aide à prendre distance.

Cette scène de la rencontre avec l'aimée est présentée d'un livre à l'autre sur un mode, au sens grammatical du mot, différent. Tantôt l'optatif, tantôt le conditionnel, tantôt l'indicatif futur ou présent. Pour prendre des repères très éloignés on peut opposer à l'absente attendue de *Terraqué* : « Oh ! je t'ai appelée, suscitée dans les airs » (p. 118) la femme très présente de *Trouées* : « j'embrasse tes genoux / J'arrive » (p. 111). Si l'on voulait, au risque de forcer le trait, tracer la courbe joignant ces deux points, il me semble que *Carnac*, *Sphère* (recueil qui, publié en 1963, s'ouvre sur « Chemin », écrit en 1959) et *Avec* (publié en 1966) sont les livres où l'indicatif de la présence l'emporte sur les modes de l'absence. Cette conversion modale, je trouve remarquable qu'elle corresponde à une modification encore plus nette dans l'emploi des pronoms personnels. Peu ou pas de personnel de la première personne dans *Terraqué*. Le « je » n'y apparaît pour renvoyer au scripteur que dans les poèmes de l'avant-dernière partie, ceux qui disent la victoire possible par la construction du monde (p. 110...) ou par la rencontre de la femme (p. 112, p. 122). Dans les textes qui précèdent il est rare et renvoie parfois à un féminin (p. 89) ; quand il dit un état du moi c'est un état de frayeur :

> Que je ferme un instant les yeux,
> Ils s'abattront sur moi,
> Ils me dissoudront dans l'humus
> Où depuis toujours
> Je sens mon odeur. (p. 37)

Les poèmes écrits dans les années soixante (après « Chemin ») et plus tard sont en revanche très constamment commandés par un pronom — soit « je », soit « il », forme « apothéosée » du « je » — qui renvoie sans ambiguïté au scripteur. Le « je » naît dans le texte comme partenaire d'un dialogue désormais possible avec lui-même (il « consent à ses labyrinthes ») et avec l'autre. Même lorsque le poème, ou une séquence d'un poème — ainsi dans *Paroi* (p. 181 sq.) — dit la douleur d'une absence, l'impossibilité de retenir la femme qui s'éloigne, de la « ramener de là-bas » (p. 183) il se présente dans son ensemble sous forme de dialogue ou de lettre. Une série récente intitulée « Bergeries » (*Autres*, p. 41 sq.) est à cet égard intéressante. Le « je » en appelle au « tu » pour que celui-ci (celle-ci) l'introduise à la maîtrise heureuse de ce qui est extérieur à l'un et à l'autre. Cinquante-trois petits poèmes (des quanta poétiques) s'ouvrent sur le verbe « suppose » et s'équilibrent sur la formule « et que je te demande ». « Je », « tu », deux personnes en jeu, deux personnes avec pour enjeu une troisième, un neutre pas si neutre : le monde autour d'elles. Trois personnels que le texte fixe dans leurs différences et leurs rapports.

> Suppose
>
> Que l'univers entier
> Ne soit plus que terreur
>
> Et que je te demande
> D'user de tes regards
>
> Pour qu'au moins la prairie
> Cède à notre sourire. (p. 76)

Le plus souvent, presque toujours, le premier distique dit la terreur ; on y retrouve des termes fortement marqués : terreur, cri, grommeler, peur, océan, dissoudre, sans refuge, etc., le second est consacré à l'intercession de l'autre, le troisième à la victoire sur la peur. Les angoisses de l'homme traqué n'ont pas disparu (par exemple l'angoisse de la perte d'identité dans *Autres*, pp. 82-83) mais on traite avec elles. On les dit, on sait pouvoir les dominer. Dans la structure des textes la terreur ne conclut pas, elle est incluse, délimitée, définie, contenue. Qui aurait osé ouvrir l'armoire de *Terraqué* ? Il fallait éviter de libérer ce qui pouvait faire chaos et mort. Risque et chance, mort et pain, s'équilibraient.

> Peut-être il en serait tombé des morts,
> Peut-être il en serait tombé du pain.
>
> Beaucoup de morts.
> Beaucoup de pain. (*Terraqué*, p. 17)

Personne pour intervenir. Aucun personnel singulier non plus dans le second poème du même livre

> Assiettes en faïence usées
> Dont s'en va le blanc,
> Vous êtes venues neuves
> Chez nous.
>
> Nous avons beaucoup appris
> Pendant ce temps.

Sans doute une relation s'établit-elle, de vous à nous, appuyée dans le texte sur la reprise en anagramme de « venues » en « neuves », mais rien n'assurait que cette relation pût faire bonheur. Dans *Trouées* (le titre seul marque le chemin parcouru depuis *Terraqué* et son armoire fermée) la communication s'établit contre la peur et le poème s'achève sur le mot « sourire ». « Je », « Tu », « Il », le moi, le monde et l'autre, les différences en jeu. Ecarts pour un accord.

Le « je » du texte, celui qui nomme et fait relation, fixe les règles du jeu, et l'ordre du texte comme ordre du monde : « Suppose ... et que je te demande » ... . Puisqu'il est au centre des courbes, qu'il est le centre, ce milieu où les termes se rejoignent, où les lignes se tissent, cet espace-paroi, cet espace-parole, il entre naturellement dans sa définition d'être à la fois lui-même et l'autre.

> Et voilà. J'étais pierre
> Je n'étais pas changé,
> J'étais toujours au centre. (*Avec*, p. 157)

Ce point suprême, du côté du soleil, du côté de Dieu, où s'effaceraient les distances sans que les différences s'abolissent (être l'autre sans cesser d'être soi), on ne peut, nous le savons, qu'en rêver. On n'y atteint que par le sacrifice de soi, et l'oubli de la nuit terrible et nourricière. On ne peut pas, sans se perdre, trop s'éloigner des gisements profonds et bourbeux de son sol mental. De là vient que les recueils les plus récents de Guillevic fassent alterner les pièces d'humour et les poèmes à tonalité plus sombre. La certitude amusée, la distance olympienne — l'humour de se dire Dieu — et le retour, accompagné d'Ariane, aux labyrinthes. Côté soleil, apothéose, et côté Océan. Ici le poète chante son règne ou il l'explore, il le fait, à l'évidence, avec une aisance et une liberté de plus en plus grandes ; là, il laisse l'eau du large irriguer à nouveau l'étier. Selon les saisons, selon les poèmes, tantôt le sel, tantôt l'océan. Dans *Autres*, aux «Dialogues», ellipses d'humour dans la lignée des «Bergeries», succède un long et grave poème, une manière, vingt ans plus tard, de nouvelle version de «Chemin» : «Le Dit du Pérégrin». Ce poème-parcours ne fait que dans ses tout derniers vers la part à la «gloire» et au «sourire». Avant cette éclaircie ce sont les couleurs de la nuit.

> Partout où il passait
> Devait passer
> Croyait passer,
>
> Il lui semblait
> S'être enfoncé déjà.
>
> La mémoire non plus
> N'était pas son amie. (*Autres*, p. 140)

Reste que pour finir, l'éclaircie a raison de la nuit.

Le poète de *Requiem* a trouvé son chemin. Par l'exercice de l'écriture, l'homme s'est modifié, il a appris à se conduire avec lui-même et avec le monde. A vivre en poésie. Il peut écrire «Magnificat». L'importance de ce poème ne doit pas être surévaluée. Ni texte testament, ni texte conclusif, il est suivi dans *Trouées* du grand poème «Vitrail». Il m'intéresse surtout par la réplique qu'il donne, un demi-siècle après, au *Requiem* de 1932. Absente de ce premier ensemble, la femme est là pour ouvrir au poète, dans l'acte d'amour, le chemin des choses et le chemin de lui-même.

> Nous avons appris
> L'un à l'autre
> Ce qu'il est. (p. 120)

Au monde redoutable des portes tenues fermées s'oppose celui des corps offerts. A la dissolution, à la dispersion, au retour à l'humus qui menace tous les êtres dans les premiers recueils

sont substituées les poussées qui « font grandir les plantes »
(p. 124). « Magnificat », poème de l'amour est aussi poème du
poème. Du poème, comme l'amour, toujours à refaire, car l'autre
toujours risque d'échapper.

> Reste, reste.
>
> Ne t'en va pas toujours,
> Même tout contre moi,
>
> Avec les vents, avec les fleuves,
> Avec tous les courants
> Qui sillonnent la terre. (p. 124)

Poème pour que la vie soit vivable. Pour « vivre en poésie ».

Serge GAUBERT

JACQUES MADAULE

LE POÈTE AU MILIEU DU MONDE

C'est ainsi du moins que je vois, que j'entends Guillevic. Mais à la vérité, oui, je le vois encore plus que je ne l'entends, ce qui est rare pour un poète, du moins pour un poète occidental. Il est, il existe, il subsiste au milieu, au centre d'une quantité de choses simples et familières avec lesquelles on dirait qu'à la façon d'un arpenteur, il établit des distances. Il évalue, il pèse dans son cœur et de là tout naturellement coulent les mots.

Si naturellement que cela ? Certes je n'entends point par là qu'ils coulent de source et se suivent à la queue leu leu, comme ils lui viennent. Non ! ils sont au contraire environnés de silence. Sur la page, ce qui tient le plus de place, c'est le blanc. Ainsi du silence autour de cette poésie toujours brève, qui me fait penser à ces carpes qui sautent un instant hors de l'eau. A peine a-t-on le temps de les apercevoir qu'elles ont déja disparu dans un floc ! et il ne demeure d'elles que le rond dans l'eau de leur prompte chute et le ciel qui s'y mire en demeure un peu troublé.

Ainsi Guillevic quand il ouvre *Terraqué :*

L'armoire était de chêne
Et n'était pas ouverte.

Voilà ! et je sais tout de suite à quelle distance est cette armoire. Une armoire, ce n'est jamais très loin. Elle cohabite. Seulement il y a l'intérieur qui précisément ne nous apparaît pas quand elle est fermée. Une armoire ouverte ce serait bien sûr tout autre chose. Celle-ci est fermée comme la carpe qui disparaît dans les eaux qui la recouvrent. Un instant elle a sauté. Tel est justement l'instant du poète. Ou sa clef, si vous préférez, quand il s'agit d'une armoire. De toute façon le temps ici est aboli puisqu'il est enfermé dans l'armoire. Guillevic est un poète de l'instant et du simultané.

Voilà pourquoi il se trouve toujours au milieu des choses dans un instant déterminé qui n'est jamais en continuité avec d'autres instants. Il y a une coupure, quelque chose d'infranchissable et je dirais volontiers de lui qu'il est un poète éléate, c'est-à-dire un poète pour qui le changement est le mystère même, c'est-à-dire la poésie. Car, encore une fois, dans cette poésie, ce sont les blancs qui sertissent les mots et le silence la parole.

Pourtant c'est cuirassé de mots que le poète s'avance parmi les choses qui ne font pas que l'entourer, mais elles le touchent et de chacun de ces contacts naît un poème. C'est pourquoi l'espace est entouré, traversé de « parois » et troué de « trouées ». Ces images, que suggèrent les titres des deux recueils, me hantent car les parois, tout autant que les trouées sont invisibles, mais non pas insensibles. Guillevic ne fait pas voir les choses au milieu desquelles il a été jeté, pas plus qu'il ne les fait entendre ou durer devant nous, mais il les fait sentir, appréhender moins par le toucher que par ce qui nous avertit de quelqu'un ou de quelque chose qui est derrière nous sans aucun son et il n'est pas besoin de se retourner pour savoir.

C'est la paroi, cette réalité inconnaissable qui est en nous, hors de nous, partout, qui nous sépare de tout et nous unit à tout selon qu'il vous plaira de la considérer d'un côté ou de l'autre.

> Comme le poisson a sa paroi
> Dans la surface de l'eau,
>
> Comme la taupe la trouve
> Dans le flasque du jour,
>
> Si nous savions
> Où est la nôtre.
> *Paroi*, p. 31.

La carpe qui saute, si elle nous émeut tellement, c'est qu'elle perce sa propre paroi comme l'oiseau qui déchire l'eau du bout de son aile. Ainsi partout des limites qui ne sont là que pour être franchies, pour être trouées. Qu'allons-nous rencontrer de l'autre côté de la paroi ? D'autres parois encore ? N'atteindrons-nous jamais l'intérieur, le foyer où brûle le feu ?

> Tenace, tenace, au moins
> Comme les lois
> De l'économie.
> *Paroi*, p. 118.

Mais le but de tout effort, c'est justement de faire la percée, d'aller, d'aller le long de la paroi jusqu'à ce qu'elle disparaisse :

> Il faut aller.
> L'espace aspire.
> *Paroi*, p. 131.

Ce verbe a plusieurs sens. L'espace aspire comme une ventouse ; mais nous aspirons à lui aussi, à une souveraine liberté, à aller

> De lande en lande
> Plus loin que les mers.

Et plus profond aussi, car l'espace euclidien de Guillevic est un espace à trois dimensions, dont la moindre n'est certes pas la profondeur, ce puits de l'abîme où se love le feu. Là aussi sont des parois, mais des parois que l'on enfonce voluptueusement jusqu'au cœur des choses. Alors c'est l'acte d'amour le plus physique, mais aussi le plus total. En un certain sens toute poésie n'est jamais autre chose que cette pénétration féconde et désespérée, qui n'abolit pas les parois, mais les utilise comme un chemin. Il y aurait beaucoup à dire sur l'érotisme de Guillevic. Ce poète géomètre ne pouvait, bien sûr, qu'être érotique. Mais d'un autre côté, il est plus étranger que quiconque aux sophistications de l'érotisme, comme il est étranger à toute subtilité parce qu'il l'a dépassée.

C'est ici sa véritable, son authentique grandeur, sur quoi l'on ne saurait trop insister, par quoi il nous touche et nous saisit. Il y a des poètes funambules, prestidigitateurs, jongleurs et tout ce que vous voudrez encore de virtuose. Mais ici tout cela est dépassé. Je dis bien dépassé. On l'a laissé derrière soi. Parce qu'on était plus près de l'essentiel. L'essentiel, c'est cet objet devant moi, hors de moi et pourtant en moi, qui me sollicite à travers la paroi des mots dont je suis tout hérissé. Hérissé de mots, tel est le poète, hérissé de langage, de ce milieu entre moi et les choses, qui est tout vibrant de notre contact. Alors on peut, bien sûr, jongler avec ça, faire de l'esprit, proposer des énigmes et construire des châteaux de mots comme des châteaux de cartes ou des châteaux de sable au bord de la mer, des ponts, des tours et des passerelles... Enfin toute la poésie du monde est dans cette étoffe chatoyante, mouvante, agitée par le vent entre nous et les choses autour, à différentes distances.

Mais on peut aussi lever les yeux en silence vers toutes ces propositions éparses qui nous sont faites depuis notre premier regard et leur poser dans ce regard poétique et presque sans mots les questions essentielles qui sont des questions simples et presque naïves, les questions où le premier et le dernier se rejoignent. La poésie de Guillevic est à ce niveau-là. Je ne dis pas qu'il n'y ait pas, sinon un progrès, du moins un chemin du commencement à la fin. Il y eut même quelques égarements peut-être. Il faut n'avoir jamais marché pour ne pas s'être perdu quelquefois. Mais nous restons toujours prisonniers de la sphère, l'infrangible sphère.

En vérité, de cette place qui est la nôtre et celle d'aucun autre avec nous, nous ne bougeons pas. Tout au plus nous tournons-nous à gauche, à droite, en avant, en arrière, en haut, en bas. C'est bien d'une sphère que nous sommes le centre. Et tandis que ces gestes courts déplacent autour de nous le paysage, quelque chose en nous ne cesse de passer comme un fleuve qui n'est pas inépuisable et qui sera un jour tout entier bu par le sable ou perdu dans la mer dont les rivages se dérobent à notre regard. C'est ainsi que je vois Guillevic et ce rond visage de Celte qui est le sien ; ainsi que je l'écoute dans le peu de noir que fait son poème sur le blanc de la page.

J'entends la dernière strophe de son dernier recueil *Trouées*. Les « parois » en ont pris un coup, il me semble :

> Il a vu parfois
> Dans un éclair
>
> Que s'il y a des masques
> Et qu'ils tombent
>
> Rien ne sera changé.

Et puis il y avait sans doute une autre strophe encore, ou peut-être plusieurs autres. Mais elles ont sombré et il n'en reste plus que la première syllabe du premier vers : « Il ». Pas de points de suspension, bien qu'il n'y ait rien d'aussi suspendu que ce pronom. Il ne tient à rien, en effet. C'est comme la poésie de Guillevic et toutes les choses réellement réelles.

Jacques MADAULE

PIERRE MICHEL

GUILLEVIC, DU RÈGNE AU RIEN

> Il m'a fallu du temps
> Et bien de l'écriture
> Pour en arriver là.
> *Paroi*, p. 147.

L'étang, « suaire aux blanches moires » des crépuscules hugoliens (1), se lève au matin de l'œuvre de Guillevic, avec son cortège de larves, « bavant des joncs et des têtards » (*Terraqué*, p. 76). C'est le règne des monstres, eux aussi tapis

> Dans un lieu sans figure,
>
> Bien au-dessous de la parole.
> *Exécutoire*, p. 159.

Dans un monde informe et illisible, « sphère d'absence » (*ibid.*, p. 148) comme l'avant-naître du poète ou, à travers cette « distance à l'intérieur / Qui perd mesure », l'attente peut-être du poème :

> Il n'est plus qu'une sphère
> Sans confins ni lieux,
> Où le noir oscille
> Comme un corps de monstre.
> *Terraqué*, p. 69.

La « danse / Du noir et du blanc » y est encore indéchiffrable, qui mènera le poète « assez loin » (*Gagner*, p. 103).

> C'était en un temps
> Où le journal était un carré blanc
> Tenu par la mère au-dessus du seuil
> Où jouait l'enfant.
> *Terraqué*, p. 129.

---

(1) Hugo, « Crépuscule », *Les Contemplations*, II, XXXVI.

On ne redira pas ici ce que fut l'entrée de Guillevic en poésie (2).
Ni « l'inventaire » dressé de ce

> (...) gouffre sans fleur, sans mica, sans fougère,
> Qui cherche un lieu.
> *Gagner*, p. 35.

Ni tout ce qui y réclame ses *Coordonnées*, réaffirmées de recueil en recueil jusqu'à *Gagner*. Il faut rejoindre le poète une fois qu'il a « cuisiné / Son petit chant contre les monstres » (*Gagner*, p. 228). En cet instant dont il eut très tôt la prémonition :

> Quand il eut regardé de bien près tous les monstres
> (..)
> Il put s'asseoir tranquille dans une chambre claire
> Et voir l'espace.
> *Exécutoire*, p. 203.

En ce lieu à vrai dire « hors-lieux » (*Ville*, p. 104), loin de la géographie primordiale, la mer, l'étang, les rocs, le ciel, loin de l'histoire personnelle, ou de cette Histoire où se conjuguent, d'une voix fraternelle et qui peu à peu souverainement s'impersonnalise (3),

> Je — tu — il —
> Et que reste-t-il ?
> *Exécutoire*, p. 231.

Disparaissent en effet peu à peu de l'œuvre, non sans retour, mais pour alors y être pacifiés, les êtres et les choses.

> Encore une fois,
> Je me sers du même procédé :
> Pour atténuer le malaise,
> (............................)
> Je figure, je projette,
> Je visualise, je spatialise.
> (............................)
> Je me fabrique des anecdotes,
> Je romance ma vie.
> *Paroi*, p. 186.

Biographia litteraria, dès lors, que l'œuvre, dans la *Romance* ou le *Roman* (*Gagner*, pp. 147 et 205). Avec eux, sans eux :

---

(2) Voir L. Czyba : *Enfances. Pourquoi vivre en poésie.*
(3) Voir S. Gaubert, *L'écart et l'accord.*

> Il ne reste jamais longtemps
> Dans les jardins.
>
> L'idée viendrait
> De les défaire.
>
> (..............................)
>
> Quant à la rose, il dit :
> Laisse la tranquille.
>> *Gagner,* pp. 206-208.

Les *Episodes (ibidem,* p. 149 sq.) tournent à l'*Art poétique.* Et vivre en poésie, c'est suivre et effacer les traces d'Orphée :

> Je serais descendu
> Jusqu'aux lointains rivages
> Où l'on parque les morts.
>> *Sphère,* p. 102.

Mais

> (...) il est vrai
> Que celui qui a fait un séjour, là-bas,
> Ne le sait pas.
>> *Paroi,* p. 185.

Le mythe s'écrit et se désécrit, comme s'espacent dans l'œuvre les dédicaces personnelles, comme s'estompent les visages :

> J'ai appris qu'une morte
> Soustraite, évanouie,
> Peut devenir soleil.
>> *Sphère,* p. 102.

La vie, la mort — ou la morte est ici, est ailleurs : le poème.

> Je t'ai cherchée
> Dans le chant du merle
> Qui dit le passé parmi l'avenir
>
> Dans l'espace qu'il veut bâtir.
>> (*Ibidem,* p. 104).

Peut-on dater l'irruption chez Guillevic de l'espace pur ? Non pas « le mur » sur quoi écrire, « au fond du noir » (« Je t'écris », *Sphère,* p. 106). Non pas l'écran où projeter tous nos fantômes, et qui pourrait être

> Aussi bien l'enveloppe
> Du viscère d'un géant.

De cette chose nous serions
Les microbes, les bactéries,
Les parasites.
Paroi, p. 93.

Non pas

Tous les paysages
Qu'il a fallu voir

et qui n'offraient au poète que

Du volume indéterminé
Où (s)es cris ne portaient pas.
Carnac, p. 208.

Ni même le « lieu » qu'il s'« aménage » avec un « paysage »

Assez lointain pour être
Et n'être que le poids
Qui vient (l')atteindre ici.
Sphère, p. 59.

Peut-être celui

Plutôt lointain de tout
Qui s'avance au-dessous du temps.
Carnac, p. 159.

Voilà longtemps que le poète en rencontre les envoyés :

La fille qui viendrait
Serait la mer aussi,
La mer parmi la terre.
Le jour serait bonté,
L'espace et nous complices.
Carnac, p. 153.

Mais avant l'« empire » de la femme, qui mène « plus avant vers
l'espace » (*Gagner*, p. 118) et ce lieu

Où l'on peut aller

Quand on est un couple
Au bord du désir.
Gagner, p. 114,

le poète a connu les présages de l'oiseau. Omniprésent dans le
bestiaire guillevicien, c'est lui qui

(…) sculpte l'espace
Où triompher.
Gagner, p. 254.

Mais comment suivre dans «les délices de l'azur (...) l'oisif épervier» (*Exécutoire*, p. 150)? Bon pour le «corbeau solitaire» de rêver «A son empire qu'il brûla» (*Inclus*, p. 81). Et si «Le hibou en dit long / Sur le domaine» (*Du Domaine*, p. 103), il a fallu d'abord traverser

> Le cri du chat-huant
> Que l'horreur exigeait.
> *Terraqué*, p. 139,

et avec la mouette, «l'espace de la faim» (*Avec*, p. 33) et le «besoin (...) de maudire» (*Avec*, p. 182), avant de réveiller «La dormeuse dans le bois aux merles d'or» (*Terraqué*, p. 131) pour la fête partagée de l'amour et du chant.

> Quand le merle sifflait dans l'herbe (...)
> C'était pour nous la fête et tout s'accomplissait.
> *Terraqué*, p. 123.

Complice alors l'oiseau, et complice l'espace, d'une apothéose sans anges (4):

> Battements d'ailes de feu
> Au-dessus des battements de vagues —
> Soleil... Soleil.
> *Terraqué*, p. 103.

Mais l'espace a d'abord été impitoyable à l'oiseau, l'oiseau impitoyable au poète et le poète à lui. «Un oiseau se fait mal / A regarder le ciel» (*Exécutoire*, p. 200) où brûle un «soleil inexorable» (*Terraqué*, p. 67). Un autre refuse au «barde qu'on moquait» de «venir dans sa main / Pour être son témoin» (*Terraqué*, p. 89). Mais entre ce «corps doux de plume» où faire le silence et «l'homme aux yeux marqués de perte» (*Terraqué*, pp. 86-87) s'établit une alliance cruelle. Le pigeon meurt «dans l'espace / Où tu devras mourir» («De ma mort», *Sphère*, p. 19). Dans la lumière insoutenable. Poète, et moins et plus que le poète, l'oiseau entre l'espace et le poète les accorde dans l'écho d'un cri qui retienne «le silence et le temps» (*Avec*, p. 35).

(4)   Suppose
Qu'un ange rencontré
Nous offre un paradis

Et que je te demande
Que nous nous écartions

Et le laissions tout seul
Raconter son velours.
Autres, p. 95.

Il faudrait un pigeon,
(.............................)
Arrêté dans les airs
Juste au-dessus de toi,
(.............................)
Qui serait venu là

Pour que tout ce qu'on voit
Ne cesse jamais
De se précipiter
Dans l'immobilité.
Etier, p. 121.

Visitation, et rites *de l'ordre du toucher*, de l'ordre aussi de la géométrie, et qui placent

L'univers en balance,
Immobile et posé sur une trajectoire.
Etier, p. 127,

cette courbe tracée par le vol (« Chemin », *Sphère*, p. 10), retracée par la plume.

Et si ta plume
Avait pouvoir ?

Si tu pouvais
Par elle, à travers elle

Disposer de l'espace
(.............................)
Tracer les courbes,
Donner les formes ?
Inclus, p. 10.

Ecrire, c'est « emplir l'espace / Etre tout l'espace », comme le merle (*Inclus*, p. 232), qui donne à lire son chant,

Nappe de jour à la hauteur
De tous les yeux.
Gagner, p. 75.

C'est, avec le coucou,

Entrouvrir, agrandir
Un espace où régner.
Avec, p. 146.

C'est « promener » la mésange « dans son royaume » (*Etier*, p. 101). Mais « au-delà d'elle », même si l'on va « selon sa loi ». C'est passer outre le rapport de l'hirondelle, « Exact. / Exigu » (*Du Domaine*, p. 143). L'écriture accomplit et dépasse l'oiseau,

43

franchisseur de «frontière» et d'«interdit», le «pareil» et l'«autre» du poète (*Etier*, p. 103). De l'écriture de l'hirondelle, rien ne «reste ici / Que le désir d'écrire» (*Inclus*, p. 9). Comme dans le désir

> Il n'y a pas d'oiseaux
> Plus éperviers que nous,

pour atteindre «un espace / Entre l'espace» («Magnificat», *Trouées*, p. 120). Inégal, alors, l'oiseau au défi qui lui est lancé?

> Qu'est-ce que tu as de plus que moi?
> (..)
> Tu évolues dans les trois dimensions,
> (..)
> Mais pose tes questions.
> *Etier*, p. 139.

Pour l'épervier, d'abord,

> L'espace
> N'est pas question.
> *Inclus*, p. 13.

Mais si enfin, il s'y sent bien, assez même pour redescendre aux souterrains et aux sources, c'est qu'il est, comme Carnac, passé «A l'échelon de la géométrie». L'«odeur de terre», «le vent, le soleil, le sel» ont lutté «pour être dimension», dans ce «pays qui se pense / A longueur de sa verticale» (*Carnac*, pp. 198 et 159), d'une formule qu'on dirait valéryenne. L'oiseau a «accepté l'espace / Et la hauteur»; il règne en géomètre, «empereur arpenteur du ciel». Il plane, il sait le plan.

Mais il n'est pas le premier, il n'est pas l'inventeur de ce qu'il «pratique / Mieux que personne» («Epervier», *Trouées*, p. 90).

> Il suffit d'un cri —
> Et c'est une autre géométrie.
> *Du Domaine*, p. 130.

Voilà longtemps que ce cri se cherche. Contre ceux qui ruminent «de nous ensorceler de leurs géométries» mauvaises,

> Où les lignes sur tous les plans
> S'en vont buter sur le plus rien,
> Ne se rencontrent qu'à la mort.
> *Gagner*, p. 46,

c'était un géomètre engagé que *l'homme qui se ferme*, ne connaissant d'abord que la peine des hommes.

Ce qui est clair,
C'est avoir mal.

Mais clairs aussi « ce qui est plat » ou « ce qui est rond », et

La ligne droite
Qui n'a pas de raison
De s'arrêter.
Gagner, pp. 220-221.

Ici, l'Histoire a commencé de tendre à la figure. Et avec elle tous les monstres :

On n'appelle pas les gens
Pour vous aider

Contre le cercle, la droite
Ou contre les fleurs

Qui vont vous montrer
Leur intérieur.
Gagner, p. 223.

Au cercle, ou à la droite, de nous aider contre l'abîme des fleurs. Et contre eux-mêmes. Avec *Euclidiennes,* et dans une tension pure entre les figures et les énoncés, se réécrit une aventure poétique, et l'aventure humaine,

parallèles

I

On va, l'espace est grand,
On se côtoie,
On veut parler.

Mais ce qu'on se raconte
L'autre le sait déjà,

Car depuis l'origine
Effacée, oubliée,
C'est la même aventure.

En rêve on se rencontre,
On s'aime, on se complète.

On ne va pas plus loin
Que dans l'autre et dans soi.
Euclidiennes, p. 9.

On montrerait sans peine cette rencontre, et cette translittération. Surtout, *Euclidiennes*, analogue dans son ordre à *Carnac*, lieu et livre de « la mer allée / Avec le soleil » (5), dresse dans la « danse du noir et du blanc », de la parole et du silence, du *creux* et du *plein*, le *volume* et le *plan*, l'*étendue* et le *cri*, dans leur mathématique sévère, pour l'avènement du *dispositif Guillevic - poésie*, de l'écriture de l'espace à l'écriture du rien.

Si l'on gommait « les figures » que l'on « dessine » sur le *plan*, pour ne plus voir que lui ? Traversé désormais par le regard, il s'ouvre, non plus comme une menace d'autrefois :

> Si la porte s'ouvrait
> Sur ton corps avili
> De mort.
> *Terraqué*, p. 31.

« Si pourtant je m'ouvrais ? », dit le plan, et il s'ouvre livre, seulement livre :

plan

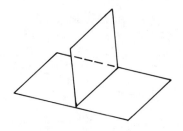

Euclidiennes, p. 23.

Pour « le libre aller-venir » de la lecture, l'« illimité » pour « tous » de leurs « possibilités ». Ni *créancier*, ni *poursuivant* :

> Je ne demande rien
> Allez à votre gré
> Dans le creux du volume
> Ou dans son plein.
>
> Je reste, j'attendrai.
> *Euclidiennes*, p. 24.

(5) Le rapprochement avec la formule de Rimbaud est proposé par S. Gaubert, *Guillevic, sculpteur sur silence*.

Il peut se redresser, et se mettre debout, s'offrir aux heurts, aux combats et aux cris de l'espace, il reste livre :

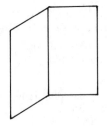

III

Soyons modeste : quand je parle,
C'est de moi-même.

Je ne dis pas l'espace,
Je fais qu'il parle.
Euclidiennes, p. 25.

Dès lors, l'espace n'est plus lieu : le voici qui devient formule. D'abord

Guère autre chose qu'une lueur
Où sont brodés des adjectifs

qui « vous diluent » (*Ville*, p. 10), la ville va établir son site « Dans les coordonnées » (p. 69). A quoi bon « questionner encore » (*Avec*, p. 149), pour trouver

Derrière le mur,
Derrière la porte,

Ce qui n'y est peut-être pas,
Pas plus qu'ailleurs.
Ville, p. 91.

Aux hypothèses sur l'informe fait réponse « quelque courbe » (p. 69). « Sinusoïdes sur le sol », et l'on dirait tout aussi bien, « Peut-être mieux : spirale », telle est la ville, qui ainsi cherche

A se réunir, à se rassembler,
A n'être plus qu'un point
Où trouver sa puissance.
Ibidem, p. 47.

Un point « fauteur de plan », tel se voit l'épervier (*Trouées*, p. 90). Sans nul doute, il le sait, lui, que

> Ça doit être une histoire
> De géométrie descriptive.
> *Paroi*, p. 85.

Et que le spectacle ou l'enquête doivent le céder à l'algèbre, l'exactitude même du tracé à sa pure notion :

> Ce que j'écris sur toi
> Ne te montre pas,

lance le poète à la ville,

> Je ne suis pas plus montreur d'ours
> Qu'un algébriste.
> *Ville*, p. 98.

Certes, il y a du clown dans le poète (*Inclus*, p. 56), mais c'en est fini de la *parade sauvage*

> Des démons, des gnomes,
> Des fantômes, des dragons, des vampires,
> *Paroi*, p. 140,

dont la « grimace » (*ibidem*) s'inscrirait en « graffiti » sur la paroi (p. 199).

> Gratte.
> Caresse.
> *Inclus*, p. 17.

Griffer, toucher, n'est plus qu'écrire. « Grignotée, / Taraudée », la paroi (*Paroi*, p. 161) n'est plus qu'espace :

> — C'est quoi, une lande ?
> — Un espace qui pique.
> — Quoi donc ?
> — L'espace.
> *Autres*, p. 106.

L'espace des questions :

> Il y a la paroi
> Et la question
> Tout au long de la paroi :
>
> Des parallèles.
> *Paroi*, p. 22.

Les « graffiti de la paroi », sont « lieux communs » « pour qui sait lire » (p. 199) en eux secrets et « rêves de gloire ». Mais la paroi est lieu et non-lieu. Tout cela, et « Rien de spatial » (p. 51). Page ?

Recto-verso.

> Y a-t-il recto ?
> Y a-t-il verso ?
>> *Paroi*, p. 89.

S'aménager un lieu est recherche de la vérité :

> Il faut savoir :
> Recto-verso,
> Lequel des deux
> Me protège, m'en veut.
>> *Paroi*, p. 94.

Si encore le lieu donnait sa formule,

> Si le mur avait dit
> Quelle est son équation.
>> *Avec*, p. 149.

Heureusement, il y a les mots, pour conjurer la peur, et « pour se refaire un mur » (*Exécutoire*, p. 156). Et les mots sont formule :

> O nid, ô niche, ô refuge —
> Et même
> si jamais refuge
> Ne fut trouvé,

il y eut « la notion de refuge » (*Paroi*, p. 77). Et pour qui veut savoir, la paroi n'est plus

> Rien qu'une idée,
> De la notion.
>> *Paroi*, p. 59.

Mais c'est alors qu'il faut se défier des pièges de la représentation. Dès le « lieu sans figure », il y a eu ce « besoin d'une image » (*Exécutoire*, p. 159). Les ciels et les murs ont été « écran pour des figures / Irrecevables » (*ibidem*, p. 147), « visions » peut-être, mais non « forme ni leçon » (*ibidem*, p. 218). Surtout, ne pas rouvrir l'hypothèse des monstres :

> Elle serait un peu mère,
> La paroi.
>
> Mère ou marâtre,
> N'insistons pas.
>> *Paroi*, p. 123.

Suffisent « l'étendue / Et la verticale » :

Avec ça
On n'a pas fini
D'en voir,
D'en baver,
D'en guérir.
Paroi, p.125.

Plus de comptes à rendre à cette mère qui attendait « à tous les horizons » (*Avec*, p. 66).

C'est à la tourterelle
Qu'il faudra les rendre.
Du Domaine, p. 24.

Dans un monde où *Enfin*

Le jour se donne au jour,
L'espace à la distance,
Avec, p. 67.

Dans le poème où « les signes $+ - : \times$ » ne signifient plus « Addition, soustraction, division, multiplication » (*Inclus*, p. 131), mais convergent vers l'unité. Alors

(L)es comptes seront justes.
Même si la tourterelle
Ne sait pas compter.
Du Domaine, p. 125.

Alors triomphera l'algébriste, qui « par l'écriture » aura appris à

Faire du vide
Assaillant

L'exponentiel du plein

qu'il aura « su capter » (*Inclus*, p. 139).

Dans le domaine, ce n'est pas Euclide qui règne (6), mais celui qui pour avoir inventé « la courbe (...) vers le lieu » (*Inclus*, p. 7) peut totaliser les instants, et

(...) porte la mémoire
Du destin de la courbe.
« Chronique », *Avec*, p. 65.

Désormais, « de l'espace, des lignes », d'« une accumulation de terre » ou d'« un amas de choses », le poème forme avec « une vague épaisseur de temps » (« Adossé », *Avec*, p. 72) ce « même et

---

(6) Sur la régie du domaine et, en lui, de la lecture et de l'écriture, voir Ph. Legrand, *Autre éventail de Monsieur Guillevic*.

seul lieu » dont le poète est « le centre / Et les autres points », et qui au même titre que « les choses / Le pain, le vin », est « notre résumé » (« Chronique », *Avec*, pp. 60-61). Il faudrait dire ici comment s'accomplit la possession du monde à partir du règne de l'espace (7).

> Il faut aller.
> L'espace aspire.
> *Paroi*, p. 131.

Et l'étendue a « ses impératifs » (*ibidem*, p. 217). Il faut y répliquer par l'occupation de l'espace. Occupation viagère, et règne « Jusqu'à la nuit » (*Sphère*, p. 59). Mais

> D'autres viendront,
> Occuperont la place.
> *Avec*, p. 201 (8).

Et occuper, c'est inscrire :

> J'écris sur toi
> Comme j'écris toujours :
> Pour posséder.
> *Ville*, p. 60.

C'est répondre à la tyrannie de la paroi par « les directives » du langage, et « c'est déjà comme si » (*Paroi*, p. 163). Nulle « métaphysique » (*ibidem*, p. 162) ici, et nul pouvoir d'en haut.

> A qui ce domaine
> Qui m'est imposé ?
>
> Encore et toujours parler
> De ces choses ?
> *Du Domaine*, p. 21.

Une fois rayé « l'illustre absent » (*Inclus*, p. 186),

> De notre pouvoir nous serons les maîtres
> Sur une aire plus large,
> *Paroi*, p. 194,

où « rien n'est jamais comblé », se plaint le soleil, sinon peut-être par ce « creux plus évident » qu'apportent les mots du poète, « nourris / De ce noir qu'il rumine » (« De la lumière », *Etier*, p. 170-172). A tous les défis du blanc, qui jadis ne savait « Se contenter de peu » (*Exécutoire*, p. 176), répliquent ces « choses minuscules et noires / Sur l'autel de la page » (*Inclus*, p. 37), cet

---

(7) Voir les études de M.-Cl. Bancquart, B. Gelas et S. Gaubert.
(8) Voir S. Gaubert, *L'écart et l'accord*.

autel peut-être inventé, avec son histoire (*Inclus*, p. 79). Car maintenant, raturée toute métaphysique, le poète, comme l'étang,

> Fait lui-même
> Sa mythologie.
> *Du Domaine*, p. 23,

pose lui-même ses questions :

> Dans le domaine
> Que je régis,
> J'enquête.
> *Ibidem*, p. 22.

Il « invente » plus qu'il n'inventorie ce qui autrement pourrait « faire peur » (*ibidem*, p. 68).

> La lune,
> Soit !

mais après ce *fiat lux*,

> Qu'elle apparaisse
> Pour être éconduite.
> *Ibidem*, p. 11.

Ordre est ainsi donné. Au monde et à soi-même, à ses propres questions :

> Aller
> Jusqu'à l'étang.
>
> Essayer, cette fois,
> De ne pas
> L'interroger.
> *Ibidem*, p. 77.

N'être plus qu'écriture. Et lecture. « Il faut avoir / Interrogé bien des espaces » (*Ville*, p. 85) pour « savoir les lire un peu » (*ibidem*, p. 138). Pour pouvoir simplement lire ce qui doit être « un mot » au centre de tout espace comme « Dans les caves de la ville » ; et

> C'est aussi bien : frontière
> Que source ou goéland
> Ou des mots plus lointains
> Comme acte ou dispersion.
> *Ville*, p. 85.

Mot proche et lointain, espace et temps, présence et absence, silence sonore.

> Un haut mur
> (.........................)
> (...) m'a fait penser
> D'abord à une joue,
> Chaude à cause d'une joie,
>
> Ensuite à un e muet
> Dans un vers qui tendait
> A devenir sonore.
> *Ville*, p. 70.

Tout espace est « aussi / De la lecture » (*ibidem*, p. 138) et dans son « tissu syntaxique » (p. 110) se trame « l'histoire en cours » (p. 104). De gauche à droite, comme l'écriture à la poursuite du sens :

> Je te vois à gauche
> (..........................)
> Devant moi plus ou moins
> Et sur ma gauche.
>
> A droite,
> C'est une masse assez vague
> Entrepôt de brouillard
> Et de suie en attente.
> *Paroi*, p. 52.

L'espace est texte, le texte espace. Marge et centre, notre lieu :

> (...) nous sommes
> Dans les marges des villes,
> Des chemins, des prés.
> (..................................)
> Dans les marges de tout espace.
> Dans les marges de la parole,
> De notre parole.
> *Paroi*, p. 18.

En ce lieu aux anciennes *Coordonnées*,

> Où les filets
> Sont ce qu'on prend.
> *Gagner*, p. 20,

où désormais « Le cadastre / Est oublié » (*Du Domaine*, p. 9), et le pouvoir « indiscernable » (*ibidem*, p. 19), la fine pointe du

poème est ce moment de « durable durée » où « même le poème /
N'est pas visible », et

> Où il n'y a que l'unité
> D'un souffle
>
> Cristallisé dans un espace
> Indemne de volume.
> *Inclus*, p. 144.

Exact opposé de l'espace indéterminé de naguère, par lui tous les
mots passent. Et à travers les mots, tant l'extérieur que
« l'intérieur de l'intérieur » (*Inclus*, p. 167). L'espace acquiesce
enfin au mot d'espace :

> Je ne suis que vision
> En vous
>
> D'un vide (...)
>
> Moi qui n'ai
> D'autre essence et d'existence
>
> Que dans ce mot
> Venu de vous : l'espace.
> *Etier*, pp. 36-37.

Mais *qui* donc parle alors, ou *quoi* ?

> On, ça, ou *rien*,
> Ou bien le *il*.
> *Etier*, p.131.

Au creux du moi, le rien, « Au creux des mots / Les morts »
(*Inclus*, p. 165). Les mots debout, les morts debout dans le
poème,

> Là
>
> Où l'horizontal
> Devient vertical.
> *Inclus*, p. 162 (8).

Où le silence devient parole, et ne « déparle pas » (*Paroi*, p. 8).
Les « sombres clarines » (*Inclus*, p. 133) dans la « claire-voie » du
poème (p. 165), la « cantilène / Que secrète l'espace », le poète
n'y est pas « pour rien » (*Trouées*, p. 154), mais contre et avec le
rien :

Le violon que joue le rien,
Jusque dans tout,
(.......................)
Va contre lui,
Chante avec lui, englobe-le.
Sphère, pp. 131-132.

Plus haute peut-être encore que l'aventure du chaos au règne, de la fureur à la ferveur, est celle qui a mené du règne au rien. Jamais l'écriture, qui parle « Pour tout l'autre » (*Inclus*, p. 219) n'a mieux dressé « contre un néant diffus » (*Carnac*, p. 159) du presque rien.

Le feu,
Pas le feu.

L'espace,
Pas l'espace.

(....................)

Les rêves,
Pas les rêves.

Les hommes,
Pas les hommes.
Sphère, pp. 119-120.

Jamais l'écriture n'a été plus circonscrite à elle-même, ce « peu de paroles » nécessaire pour

Que dans l'espace libre
Se fassent les échanges
Entre la parole et le creux.
Inclus, p. 191.

Entre le mot et le mot, dans les mots eux-mêmes,

Le vide,
Acéré,
(..........)
Par la lime des mots,

ne laisse subsister « dans l'aire du poème » que leur pulpe devenue

La pulpe de rapports
Autrement sans pulpe.
Inclus, pp. 140-142.

La rhétorique du rien (9),

> Dans le plein du creux,
> Dans le noir de la lumière,
> Dans le silence du chant,
> Dans le présent du futur,
> Dans la marée du repos,
> Dans la douceur du tranchant,
> Dans la douceur d'une épaule,
> *Inclus*, p. 205,

ne dit plus ni ne contredit, elle est désir de dire :

Sur le rien

Je n'ai rien à dire,

Mais je veux dire.

x

Besoin

De dire.

x

(9) Elle est analysée par S. Gaubert, *Guillevic, sculpteur sur silence*, et Ph. Legrand, *Autre éventail*.

La morale du rien, la poétique du rien ?

Le Rien (10).

Pierre MICHEL

(10) Ce poème est encore inédit.
Le rien donne « trajectoire », histoire, toucher, à ce qui n'est pas lui, mais n'a été, ne sera, ne serait que par lui. Et peut entrer dans le poème en des « venues neuves », pour jouer sur une formule de « Choses » (*Terraqué*, p. 18). Le vrai poète de l'objet, en Guillevic, c'est peut-être celui qui n'est plus convoqué au poème par leur urgence mais qui, dimension prise de sa *gloire*, peut les convier dans la plus grande simplicité sur la page soigneusement vidée, pour une apparition moins rassurante qu'assurée. Au point que le poème accueille l'illustration dans un « respect » bienveillant :

A peine de la couleur,
Quelques traits,

Un espace
Qui n'est pas ennemi.

(« L'Aquarelle », in *Blason de la chambre,* avec des dessins de Denise Esteban).

GEORGES-EMMANUEL CLANCIER

UN INCOMPARABLE EXORCISME

Bien souvent je prends dans le désordre de mon appartement-bibliothèque, tel ou tel volume au dos duquel le nom vif de mon ami Guillevic me fait signe, et le hasard fait que ce jour-là c'est *Terraqué* qui vient entre mes mains, tel autre jour : *Carnac,* ou *Sphère,* ou *Paroi,* tel autre soir encore : *Etier* ou *Trouées...* Au hasard encore, j'ouvre le recueil et, aussitôt, la voix du poète, la voix retenue — à la puissance, à l'ardeur retenues jusqu'à la rigueur, jusqu'à la douceur — m'apporte le monde : son énigme d'opacité et de lumière, son immensité et son intensité, là, juste là, comme au creux de la paume. De la menace, de l'angoisse à l'amour, le langage apparemment immobile, posé, frémit. Il me communique son tremblement qui comble ma solitude, l'éclaire même s'il parle d'ombre, de nuit.

> Les profondeurs, nous les cherchons
> Est-ce les tiennes ?

> Les nôtres ont pouvoir de flamme.

Murmure si proche, profération venue de si loin, de si profond, du plus profond de *nous-mêmes* on croirait. Car voici bien le pouvoir (ce «pouvoir de flamme») de cette poésie : elle semble devenir en nous qui la recevons notre propre parole la plus authentique, la plus nécessaire, tout en incarnant dans le langage la présence, irréductible, de Guillevic tel qu'en lui-même enfin le poème le change.

J'ai de longue date, décelé «deux routes» à travers la poésie d'Eugène, non point divergentes, mais — comment dire ? — tantôt alternées, tantôt s'entrecroisant, «celle de l'angoisse, de l'horreur charnellement éprouvées (et savourées) dans l'intime secret des choses, et celle de la plénitude appelée par le non moins secret et merveilleux *charme* que recèlent les choses » (1). Ces deux routes qui me semblaient venir de l'enfance de notre ami, « à la fois obscure et éblouie, au cœur d'un vieux pays », je continue à les suivre dans sa production constante et féconde de ces dernières années. Il me paraît cependant — et je m'en réjouis à la fois pour l'auteur et pour son lecteur qu'ainsi il contribue à éclairer, à apaiser, — il me paraît que la route lumineuse tend à l'emporter sur la voie (et la voix) de l'angoisse ou de la menace, comme si le voyageur et la quête qu'il mène accédaient, par amour, à cette sérénité que promet la réconciliation avec soi et avec les autres, donc avec le monde.

Si je prends les récentes — et souvent fulgurantes — *Trouées*, je retiens par exemple, entre tant d'autres, ces vers (bien des fois, les vers de Guillevic me font songer à des cîmes de rochers affleurant à la surface de l'eau et assurant, de l'un à l'autre, le gué pour le passage) :

1. Entrelacs, dans le grand poème « Vitrail », du souvenir de l'angoisse originelle et de la joie promise :

> L'angoisse,
> Il connaissait,
> Assez pour vouloir
> La céder à l'eau
>
> ...
> Quotidiennement
> L'apothéose.

2. Ailleurs, cette connaissance de soi bouleversante, ce défi, et cet art de vivre où Guillevic résume de façon admirable sa démarche essentielle :

> Rire avec sa propre peur
> Comme l'océan.

ou encore cette même démarche tirée vers plus d'abstraction :

> Pas de cri
> Qui ne cherche
> A établir sa sphère.

3. Enfin, cette autre version de l'art poétique tirée du tendre et somptueux (dans son dépouillement) « Magnificat »,

(1) Voir : *Les deux routes*, par G.E. Clancier, in « Présence de Guillevic », *Nouvelle Revue française*, n° 293, mai 1977.

Tu racontes
La houle des mers
En voie de chercher
A se pacifier.

ou cet appel pathétique que nous entendons résonner en nous fraternellement.

Délivre-moi
De ce délire
Dont jamais
Je ne me délivre.

Cher Guillevic, maître et voyageur des « deux routes », du fond du cœur, nous te disons : merci pour cet incomparable exorcisme (si patient, si passionné, si profond) qu'est ta grande œuvre te menant, nous menant vers plus de lumière sans renier le versant de l'ombre. « Préparé pour la nuit », nous dis-tu, « je n'ai pas abdiqué — La tenaille de gloire ».

Comme elle est méritée et salvatrice, ton affirmation que je me plais à répéter :

Quotidiennement
L'apothéose.

Georges-Emmanuel CLANCIER

GILLES LEBRETON

D'UN NON-VOYANT
LETTRE AU POÈTE

(La lettre dont nous publions un extrait a été adressée à
Guillevic le 6 février 1983 par Monsieur Gilles Lebreton. Nous
sommes responsables du découpage et du titre.)

Je crois que ce qui m'a d'abord impressionné, c'est votre
ouverture des sens ; votre faculté à vouloir rendre les sens, autres
que le visuel, disponibles à la connaissance. C'est en moi-même
un rêve d'aveugle — que je suis — qui me travaille fort : pouvoir
redonner leur pleine capacité à déchiffrer les sensations, à des sens
qui sont, ordinairement, de suppléance. Votre toucher, notamment, je vous le disais déjà, s'exerce à sentir autre chose que la
simple présence des objets. Mais, ce qui est peut-être encore plus
fondamental et certainement très appréciable pour nous autres
aveugles, c'est de pouvoir lire quelqu'un comme vous qui n'a pas
peur de la nuit ! combien de gens ai-je rencontrés, qui se
lamentaient sur mon sort : « que c'est malheureux d'être aveugle ! »
disaient-ils. Alors que, dans ce « malheur », je trouve, personnellement, la possibilité de vivre d'autres expériences, tout aussi riches,
mais simplement différentes de celles des voyants. Et vous, devant
cette nuit ! qui la combattez ! qui la domptez ! qui l'apprivoisez !
Il y a ces vers d'*Exécutoire*, qui viennent, comme un pilier, étayer
tout ce que je vous dis là :

> Nous trouvions que la nuit
> Est chose naturelle
> Et que le jour est difficile ;
> Mais cette nuit pourtant

N'avait pas notre accord ;
Celle que nous voulions
Etait bien plus épaisse
Et répondait aux doigts.

Vous vous êtes mis sans le savoir, par ces lignes — et par tant d'autres —, à la disposition de ceux qui n'y voient pas, sans que leur imagination cherche à supposer une image, des formes, sans qu'elle tente d'imiter des réalités de voyants ; ils sont ici chez eux. Oui, le jour est difficile, et pour quelqu'un qui est perpétuellement dans la nuit, il faut l'inventer quasiment à chaque seconde, l'apprendre à tout bout de champ. Savez-vous ? ces vers d'*Exécutoire* me font directement penser à une lettre de Rilke à son jeune poète : « si nous nous représentons la vie de l'individu comme une pièce plus ou moins grande, il devient clair que presque tous n'apprennent à connaître qu'un coin de cette pièce : cette place devant la fenêtre, ce rayon dans lequel ils se meuvent et où ils trouvent une certaine sécurité. Combien plus humaine est cette insécurité pleine de dangers, qui poussent les prisonniers, dans les histoires de Poe, à explorer de leurs doigts leur cachot terrifiant ». Pourriez-vous tenter, si cela est possible, d'aller plus loin encore, en me parlant de cette nuit ? Comment vous la sentez, comment vous la touchez ? il ne me suffirait pas, je pense, d'appuyer des vers tels que ceux que je viens de citer par mon expérience personnelle du noir ; il me faudrait des « preuves », si vous permettez ce mot, que vous-même le connaissez aussi. Vous disiez que vous pensiez avoir un œil de peintre ; mais je sens que c'est justement parce que vous êtes passé par la nuit, parce que vous avez donné du nez dans cette nuit insupportable, que vous percevez le « difficile » du jour où, sans doute, le regard pose sur tout objet le seuil d'un éventuel poème. Mais avant, n'aura-t-il pas fallu passer par d'autres sens pour *voir* ? vous parlez souvent de la teneur, ou bien du volume du jour. Et ce caillou tenu dans la main ! est-ce une expérience authentiquement vécue ? D'avance, je réponds oui pour vous ; mais c'est aussi de ces expériences-là dont j'aimerais que vous me parliez ; je ne sais, moi ! il y a mille travaux que l'on peut exécuter avec les mains ; depuis la main qui pétrit la terre, jusqu'à celle qui scie le bois en passant par une autre qui taille les haies ou plante les salades. Il y a là-dedans tout un ensemble de choses quotidiennes que vous, bien que poète, avez pu réaliser ; que vous avez pu avoir la joie intime, ou profonde, de réaliser ; il y a aussi mille travaux manuels qu'un aveugle peut faire. J'ai l'impression que tout ce que l'œil n'a pas appris à voir, vous inspire pour vos poèmes. C'est la main qui travaille chez vous, plus que le regard. Votre définition de la poésie : sculpter du silence ! je sais un texte de Francis Ponge, dans lequel l'auteur propose que la sculpture soit un art d'aveugle !

Il faut que je sache, aussi, si pour vous, la nuit, le soir, sont semblables au silence, comme il est dit dans un poème des « *Fleurs du mal* », intitulé justement, « les aveugles » :

> Ils traversent ainsi le noir illimité,
> frère du silence éternel...

Sculpter la nuit reviendrait alors à vouloir traverser le silence, dans lequel on aura trouvé des prises, des repères tangibles. Et à propos de notre monde intérieur, je me souvient encore très précisément de cette phrase que vous nous dites, quelques minutes à peine après notre arrivée : « pour écrire, il faut se blottir en soi, pour recevoir son monde intérieur ». Puis-je vous demander aujourd'hui de m'« éclairer » un peu plus en détail sur ce monde intérieur, qui me semble être en liaison directe avec la nuit ? Protège-t-il les richesses qui dorment au fond de notre être, et qui sont très souvent inaccessibles ?

Un dernier point, capital pour moi, à propos de la musique ; on sait que c'est elle qui a longtemps été le support de carrière, ou pour le moins de la sensibilité des aveugles. Pour la poésie, c'est la voix qui est intéressante. Ne me dites pas que je suis curieux mais, lors de ma visite, alors que vous me proposiez, si j'avais quelques questions à vous adresser, de me répondre de vive voix sur cassette, vous vous êtes emparé d'un petit magnétophone qui, mis en marche, reproduisait le son de votre voix en train de dire un de vos textes. Je me suis demandé depuis si vous ne mettiez pas un soin tout particulier à faire passer un texte de son état original écrit, à un état oral. Je sais qu'on peut lire dans l'art poétique de Terraqué :

> Il fallait que la voix
> Tâtonnant sur les mots
> S'apprivoise par grace
> Au ton qui la prendra.

La voix semble donc avoir une certaine importance pour vous ! Ainsi, est-ce qu'un poème pour être plus complètement achevé, exige nécessairement d'être lu ? Est-ce que les mots, si on les considère comme des êtres vivants, voient alors plus concrètement le jour ?

Gilles LEBRETON

LIVRES

Chacune de ces études est consacrée à une œuvre particulière de Guillevic. On pourrait s'étonner que cet ensemble ne s'ouvre pas sur une étude de *Terraqué,* le premier livre que le poète ait publié. Ce n'est ni oubli, ni évidemment mépris. Au contraire. *Terraqué* étant l'œuvre la plus souvent citée et la plus étudiée dans les autres parties du livre, il a paru préférable de permettre au lecteur de faire connaissance, dans celle-ci, avec d'autres œuvres plus récentes. Les *Trente et un Sonnets* (étude de Jean-Yves Debreuille) ont été publiés en 1954, *Sphère* (étude de Bruno Gelas) en 1963, *Ville* (étude de Marie-Claire Bancquart) en 1969, *Du Domaine* (étude de Philippe Legrand) en 1977, *Vivre en Poésie* (étude de Lucette Czyba) en 1980.

JEAN-YVES DEBREUILLE

L'ÊTRE ET LE PARAÎTRE :
L'ÉPISODE DES SONNETS

« Lorsqu'Eluard m'a redemandé des poèmes pour le tome II de *l'Honneur des poètes,* ma réponse fut : je n'en ai pas. C'est à la Libération que je me suis aperçu que bien des poèmes écrits pendant la guerre étaient en fait des poèmes de résistance » (1). La réponse était sincère, mais ne l'eût-elle pas été tout autant à propos du tome I, où le militantisme des poèmes signés « Serpières » n'a rien d'évident :

> La ration de vin
> Qu'il peut se payer
>
> Ne lui suffit pas
> Dans les jours amers.
>
> Sa ration de vin —
> Ah ! l'on sait qui règne.
>
> La mort est pour rien
> Pas encore le vin.

« Malgré les deux derniers vers, la confrontation de Guillevic avec les autres auteurs de ce recueil ne le place pas à l'avant-garde. Ces deux poèmes sont nettement en retrait par rapport à la poésie combattante qui s'affirme dans *l'Honneur des poètes* », reconnaît Pierre Daix (2). Oui, mais « en fait »... En l'occurrence, c'est le fait qui donne sens, et les circonstances de publication qui imposent ces poèmes comme militants. Mais les mêmes ou de très semblables, livrés à leur seule apparence, n'ont nullement choqué Drieu la Rochelle qui les a hébergés dans le numéro de juillet

---

(1) Guillevic, *Vivre en poésie,* Stock, 1980.
(2) In *Guillevic,* Seghers, Collection « Poètes d'aujourd'hui », 1954.

1941 de *La Nouvelle Revue française*. Le même Drieu, après la parution de *Terraqué*, récidivait de façon plus voyante encore en consacrant à Guillevic une bonne partie de son éditorial du 1er août 1942, ce qui amène Pierre Daix à une deuxième concession : « La manœuvre était cousue de fil blanc. Mais elle donnait au poète à réfléchir. *Terraqué* pouvait être interprété dans le sens du mysticisme, de l'animisme. » Si l'adhésion de Guillevic au Parti communiste en 1943 manifestait clairement quel camp il choisissait, elle ne faisait qu'accentuer la déchirure entre son être et le paraître de sa poésie. Malgré un poème dédié à Gabriel Péri, malgré les *Charniers* qui ferment le recueil, *Exécutoire*, publié en 1947, « paraît à première vue désordonné et comme un recommencement de *Terraqué*. (...) C'est bien à la vieille bataille, avec ses monstres, qu'il semble être revenu ».

Pourtant, le titre même du recueil suivant, *Gagner*, publié en 1949 et dédié à Aragon, indique une volonté tenace de réduire cet écart. Et la solution semble de changer non pas la nature de la bataille, mais les monstres combattus, de substituer au métaphysique le social, aux « rocs » les *Trusts*, titre d'un poème dont le dédicataire est précisément Pierre Daix :

> Lanternes d'or vous êtes
> Au fond de longs couloirs
> Dans vos bureaux de laine,
>
> A ne rien éclairer,
> A durer pour durer.

Mais ce constat insupportable d'une durée qui semble n'avoir qu'elle-même pour objet était déjà effectué devant les menhirs de Carnac ou « l'eau noire » de l'océan, avec la conviction que toute « lutte est inégale ». Il faut donc dire un peu plus, faire parler la raison contre l'imaginaire :

> — Vous accrocher —
> C'est votre lot.
>
> Et nous il faut
> Qu'on vous arrache.

Mais le sens velléitaire du dernier verbe suffit-il à faire basculer une forme qui est, profondément, d'équilibre ? Deux vers contre deux vers, qu'un espace blanc sépare, et qui s'envoient leur reflet rythmique et sonore : « accrocher » pour « arrache », « lot » pour « faut », « c'est » pour « et ». Deux nécessités ontologiques inscrites l'une dans le « vous », l'autre dans le « nous », et sans lesquelles le « vous » aussi bien que le « nous » perdraient leur raison d'être là.

Comme toujours en poésie, la forme est la vérité du sens, et c'est à elle que Pierre Daix s'en prend cette fois : « A la limite apparaît une contradiction majeure. Cette poésie qui suit son temps et se veut capable d'exprimer le réel, le plus possible et l'essentiel du réel, se définit en même temps par un certain nombre de critères strictement formels, et par une notion du poème, le poème-objet, qui est du domaine de l'art pour l'art. Je sais bien que la démarche de Guillevic est toujours partie de la chose à dire, du monde extérieur et du réel. Reste que pour le poète, elle aboutit non pas à la seule expression de la chose à dire, mais à une forme donnée, strictement délimitée. Et qu'il y a dès lors le double risque, la double limite, que le poète taise ce qui ne peut se plier à sa forme, que cette forme l'empêche d'exprimer librement tout ce qu'il a à dire ».

Bref, aménager par approches successives ne suffit pas. Il faut payer le prix d'une rupture formelle pour que le poème ne soit plus « objet » résistant, mais lieu transitif entre « la chose à dire » et ses récepteurs. Alors, Guillevic va prendre par l'autre extrémité son travail de créateur, exercer sa technique, « faire des gammes », et le résultat va être un article retentissant d'Aragon dans *Les Lettres françaises* du 2 décembre 1953 :

> J'ai reçu ces jours-ci un mot de Guillevic, accompagnant le poème qu'on peut lire ci-après et qui illustre un tableau d'Orazi. Il y disait notamment : « Comme ça, je t'envoie un poème "bien rythmé, bien rimé" (je l'espère !). J'en ai éprouvé le besoin (du vers classique) après avoir lu ce que tu as écrit de Paul (Eluard) à ce sujet. Y viendrais-je aussi ? Je ne sais pas. Je fais des gammes peut-être. » (...) Si l'on songe à la place très singulière de Guillevic dans la poésie contemporaine, à la négation que sa poésie a toujours comportée du vers compté et rimé, au caractère entier de la position qui ne s'est jamais démentie de *Terraqué* à *Terre à Bonheur*, de 1932 à 1952, cette démarche, sur l'exemple d'Eluard, qui est la sienne aujourd'hui, prend un grand sens, où il m'est impossible de ne pas lire l'accord qu'il me donne, qu'il donne à mon appréciation même de la démarche d'Eluard, considérée comme *une tentative de liquidation de l'individualisme formel en poésie.*

Effectivement, la conversion est d'autant plus retentissante que le converti vient de loin, et qu'il jouissait déjà d'une notoriété certaine. A la satisfaction des uns répond la stupeur des autres, par exemple de *la Nouvelle Revue française* où l'on peut lire le 1er février 1954 un article de Jean Guérin, alias Jean Paulhan, intitulé *Le nationalisme à l'appui du vers régulier :* « Aragon, dans *les Lettres françaises,* conseille (et s'il le faut ordonne) aux poètes

français de revenir à la poésie régulière et au " rythme national ".
Il a déjà fait des disciples, et des moins attendus. Guillevic... » La
réponse sera une récidive avec aggravation, *les Lettres françaises*
du 11 février publiant de Guillevic trois poèmes qui ne se
contentent plus d'être écrits en vers réguliers et rimés, mais qui
sont trois sonnets. Ce qui permet à Aragon de triompher
définitivement le 3 mars dans un article intitulé *Du Sonnet :*

> L'événement poétique de l'année naissante, en France, c'est
> assurément l'évolution qu'affirment les sonnets de Guillevic. Ce
> poète déjà formé, qui avait place dans les anthologies, semblait à
> jamais astreint à la tradition récente du vers non compté, non rimé,
> à laquelle il avait ajouté par le dépouillement de l'expression ; et
> voici que sa démarche rend public le sentiment, depuis assez
> longtemps le sien, d'une impasse poétique où ce jansénisme du
> chant le conduisait. Presque d'emblée, adoptant le vers rimé,
> rythmé, il pousse ce choix délibéré à ses conséquences logiques, et,
> avec une décision qui tient du manifeste, ne publie plus que des
> sonnets.

Ces articles s'inséraient dans une campagne dont Aragon
devait recueillir les principaux textes dans le *Journal d'une poésie
nationale* (3) : l'ambition était de redonner vie à l'adhésion
populaire qu'avait rencontrée la poésie de résistance au lendemain
de la guerre, tout en proposant une adaptation française du
réalisme socialiste. Aragon avait, dès le début de l'occupation,
pris l'initiative de la recherche d'une écriture plus nationale dans
des articles tels que *Sur une définition de la poésie,* paru dans la
revue de Pierre Seghers *Poésie 41,* ou *La leçon de Ribérac ou
l'Europe française,* publié dans *Fontaine* la même année : il y
affirmait que « la rime traduit (...) *un être national* » et que « le
même demi-siècle (le douzième) engendre le vers français, l'asso-
nance, la rime, les mètres qui pour huit siècles régiront nos rêves.
(...) En un mot il crée la langue et la forme françaises, invente les
genres poétiques, en complique les lois et les modes, fait
apparaître la distinction des rimes féminines et masculines,
imagine les strophes, tous les raffinements de la poétique, si bien
que les poètes du dix-neuvième siècle cherchant du nouveau ne
feront, de Hugo à Verlaine, que réinventer les trouvailles du
douzième ». Incontestablement son exemple avait été suivi, notamment par Eluard, mais les plus jeunes lui semblaient se réorienter
vers une préciosité d'expression qui rebutait le public populaire,
et des recherches formelles qui convergeaient dans un « style »

---

(3) Les écrivains réunis, Henneuse éditeur, Lyon, octobre 1954.

individualisant leur production : bref, tous les traits d'un art élitiste et petit-bourgeois qu'il condamnait également dans la peinture abstraite, exclue des *Lettres francaises* jusqu'en 1955 et contre laquelle il défendait le réalisme d'un Fougeron. Pour mener à bien cette campagne, les ralliements de poètes déjà connus, dont l'abjuration fit quelque bruit, lui étaient précieux : il y eut Henri Pichette, Jean Rousselot pour un court instant, mais il y eut surtout Guillevic.

De la suite, ce dernier se défend dans *Vivre en poésie* : « C'est ensuite qu'Aragon a enfourché mon dada, ce n'est pas moi qui ai enfourché le sien. C'est lui qui a trouvé ça intéressant, il m'a dit alors qu'il voulait faire une préface à mon recueil, c'est lui qui a chanté les louanges du sonnet. Aragon est un polémiste, un bagarreur. Il a trouvé là un élément qui servait une cause qu'il défendait à l'époque ». Peut-être... Disons que le recueil *Trente et un sonnets*, paru en 1954, apparaît littéralement comme une édition en co-responsabilité : 31 pages de poèmes, et 33 pages d'une volumineuse préface d'Aragon. Préface quelque peu vacillante dans sa théorie, qui vante le sonnet comme genre universel, pratiqué par Keats, Wordsworth, Pouchkine, Verlaine, avant de le célébrer comme forme nationale. Mais message politique fort clair : en présence d'un nouvel envahisseur, il faut revenir à la poésie de la résistance française :

> Parce qu'aux jours où le S.H.A.P.E. met ses poteaux sur l'autoroute de l'Ouest, les pipe-lines allongent leurs tentacules, Orléans a été repris par les Américains qui y tiennent caserne, le problème est changé, il est celui de la poésie nationale.

Faut-il ajouter que ce n'est pas pour autant la réalité française d'hier qu'il s'agit de défendre, mais celle de demain, celle que les forces de progrès veulent faire advenir. D'où une nouvelle définition du réalisme dont il n'est même plus nécessaire de dire qu'il est socialiste :

> Ils sont réalistes, ces sonnets, disais-je, parce que les éléments naturels y figurent non comme un but final, mais comme un moyen. (...) Ils font comprendre le monde, ils décident le lecteur à participer à sa transformation, ils y contribuent. En ce sens, et pour cela, je dis qu'ils sont réalistes.

Mais il convient que le poète emblématique de ce combat soit irréprochable. Il ne saurait être un renégat, même pour la bonne cause. Après avoir mis le doigt sur la rupture, il faut en montrer la nécessité dialectique, pour manifester qu'elle n'est point trahison. De cela un autre ouvrage s'était chargé, rédigé par celui qui était aux *Lettres françaises* le plus proche collaborateur d'Aragon : le *Guillevic* de Pierre Daix, paru en septembre 1954, auquel ont déjà été faites de nombreuses références. Tout le livre est ordonné autour d'un « progrès » dont les sonnets sont l'aboutissement, d'un « chemin qui débouche sur le chant français » :

> Il est parti des mystères têtus, des plus sombres fourrés pour dire les paysages ; sorti des cauchemars pour arriver aux *Eglogues*, à la *Ligne du Printemps*. Il n'a pas peur du mot *trust* ou du mot *grève*.

Il s'agit de retrouver dans l'œuvre de Guillevic une nécessité profonde que la critique bourgeoise n'a pas su voir, ou ne veut pas voir :

> Les sonnets de Guillevic ne sont pas infidèles à *Terraqué*. Aux promesses de *Terraqué*. Ils contredisent avec violence une critique qui cherchait son bien dans *Terraqué* aux dépens du poète. La précision est venue, qui interdit ce genre de tours de passe-passe (mais aux mêmes critiques, le goût en est resté qui leur fait publier — à titre posthume — des poèmes de René Guy Cadou dans *Preuves* en les interprétant dans l'esprit européen de cette revue, alors que René Guy Cadou toute sa vie se battit contre les museleurs de la patrie.)

Mais la référence à Cadou est aussi bien un acte politique qu'un acte manqué. Car précisément, les amis de Cadou, la génération qui, autour d'un mouvement nommé pour l'anecdote École de Rochefort, a contribué à la recherche d'une écriture post-surréaliste, se rebelle contre ce qui lui apparaît comme une tentative de détournement. Ils sont quelques-uns à se souvenir que c'est aux Cahiers de l'Ecole de Rochefort qu'est parue en primeur, le 1er avril 1942, la partie de *Terraqué* intitulée *Ensemble*, et à avoir remarqué que cette publication a été omise dans la bibliographie de Pierre Daix. Elle faisait suite à un cahier de Jean Follain, qui avait introduit Guillevic à Rochefort comme il l'avait avant-guerre introduit dans le groupe de Fernand Marc, qui lui avait publié son *Requiem:* et leurs amis communs constataient avec quelque stupeur qu'était totalement occulté par Daix le nom de celui dont Guillevic lui-même reconnaîtra dans *Vivre en poésie* que « l'amitié » a été « déterminante ». Tous ces détails sont perçus comme les épiphénomènes d'une manœuvre qui va être dénoncée globalement dans un manifeste de janvier 1955 intitulé *Défense de la poésie* et signé de Marc Alyn, Pierre

Garnier et Jean Bouhier — le fondateur de l'Ecole de Rochefort. Les auteurs, tout en se situant à l'intérieur du réalisme socialiste — ce qui dans leur esprit interdisait de déplacer le débat du poétique au politique —, prenaient à partie nommément *Les Yeux et la mémoire* d'Aragon et les *Trente et un sonnets* de Guillevic, en dénonçant «cette énorme médiocrité qui veut se donner un air populaire, ce fade amour des inversions gratuites et du style pompeux sous son apparence simple, cette fâcheuse tendance au discours, au déballage, à l'étalage». Face à cela, ils revendiquaient la positivité des conquêtes surréalistes, posaient avec force la distinction entre «utile» et «utilitaire», et partaient en guerre contre une poésie qui ne serait que broderie sur une série de slogans et, sous prétexte de démocratisation, abaisserait l'art à «une copie du réel»:

> C'est pourquoi nous affirmons que René Guy Cadou, communiste, a plus justement et mieux servi son parti et l'Humain par sa poésie d'amour, de clarté et de réalité que la surenchère de la *poésie nationale* ne pourra jamais le faire, parce que la vérité de Cadou ne saurait se comparer aux fausses recettes aragonaises, mises en pratique par Guillevic.

Ce qu'il faut bien appeler la «tendance Aragon», en position nettement dominante dans la presse communiste, pratiqua une double réaction. Réaction dure dans *les Lettres françaises*, où René Lacôte affirme péremptoirement le 10 février 1955 que Cadou, s'il «avait encore bien des contradictions à résoudre», «pressentait, il y a dix ans, attendait, souhaitait vivement un mouvement pour une poésie nationale». Réaction souple au contraire dans *Europe* du mois de mars, où l'on lève une soupape sous la forme d'une *Discussion sur la poésie* qui couvre 30 pages soigneusement ordonnées. Le contradicteur autorisé est Jean Tortel, dont sont publiées trois lettres à Guillevic, dans lesquelles est discutée la notion même de «réel»:

> Comment, pourquoi ce besoin de nier le réel poétique brusquement surgi de l'ombre, au profit du seul réel déjà depuis longtemps recensé — et par conséquent déjà atteint par l'abstraction? (...) Ne veut-on plus que des routes plates, des poèmes bien nivelés et éclairés *de l'extérieur*?

En vertu de quoi Tortel refuse de considérer les sonnets comme un «aboutissement» ou une «éclosion» de Guillevic: tout au plus «un moment d'arrêt, de réflexion, une espèce de plate-forme ou de tremplin». Il reconsidère la démarche de Guillevic en fonction de «la part d'autonomie que chaque expression possède devant les autres ». Dans ces conditions, il y a tout à craindre d'une démarche politique qui dépossède Guillevic de sa propre recherche et qu'au demeurant Tortel réfute minutieusement, pour conclure à propos du vers libre : « Mon Dieu, toute liberté neuve est dangereuse. Est-ce une raison pour en avoir peur ? » Mais le débat est clos péremptoirement par deux lettres à Guillevic (comme si Tortel n'était pas un interlocuteur, mais un prétexte à discussion), l'une de Pierre Daix, dans laquelle il reprend textuellement la fin de son essai, dont les lignes sur Cadou citées plus haut, l'autre d'Aragon, qui précise qu'il a été le premier à demander qu'*Europe* abritât les lettres (de Tortel), et qui termine sur une pirouette :

> Si les jeunes poètes « progressistes » que connaît Tortel sont inquiets, je les en félicite, et j'espère qu'ils continueront de l'être : il n'y a rien qui me paraisse plus loin de la poésie que la certitude béate. Vive l'inquiétude, Monsieur !

Quant à Guillevic... Interlocuteur unique de toutes ces lettres, origine et objet du débat, il choisit en quelque sorte de s'en absenter en tant qu'individu, en refusant de pratiquer toute autre forme d'écriture que celle qui y est précisément en question. D'où quatorze sonnets dont voici le dernier :

> Voilà. J'ai répondu de mon mieux à ta lettre,
> Sur ce qui m'est du moins apparu capital.
> Et pardon si parfois je te parais brutal :
> Tu sais quand on écrit comme tout s'enchevêtre.
>
> Je vois trop les dangers qui sont ou qui vont naître,
> Je vois trop clair dans ce beau monde « occidental »,
> Je vois trop qu'on nous fait un horizon mental,
> Pour ne pas parler fort à qui veut nous soumettre.
>
> Grande est notre amitié ! Nous nous devons le vrai.
> Si je ne parlais pas très franc tu m'en voudrais.
> Je sais assez d'ailleurs la part que tu peux prendre
>
> Au colossal combat pour notre liberté.
> Je prétends cependant mieux voir et nous défendre.
> J'ai donc plus de devoir — et rien à regretter.

13.1.55

Comme si s'écarter un instant de cette écriture, fût-ce pour la commenter, était déjà mettre en danger la coïncidence conquise de l'être et du paraître : « Tu sais quand on écrit comme tout s'enchevêtre ». Aux interrogations esthétiques de ceux qui ont encore souci d'« écrire » répond la certitude de celui qui « parle ». Le sonnet, c'est la solidité métrique et sonore d'une évidence qui se présente et se commente comme telle, et s'enclôt dans son unité : « Voilà... Je vois... Je sais... J'ai. » Crispation émouvante sur un état si longtemps espéré qu'on ne le voudrait plus transitoire. Mais Guillevic mesure-t-il qu'Aragon, par sa diabolique dernière phrase — « il n'y a rien qui me paraisse plus loin de la poésie que la certitude béate » —, laisse déjà derrière lui celui qu'il vient de soutenir ?

Déstalinisation, abandon consécutif des théories jdanoviennes en matière artistique, nous savons tout cela maintenant : que le recueil suivant d'Aragon, *Le Roman inachevé*, sera beaucoup plus marqué d'individualisme, formel ou non, que de poésie nationale ; que Guillevic retrouvera lui-même en 1961, avec *Carnac*, le ton de *Terraqué* ; qu'en 1971, dans la même collection *Poètes d'aujourd'hui*, un *Guillevic* par Jean Tortel viendra se superposer à celui de Pierre Daix — justice rendue à celui qui avait su voir dans les sonnets un simple « moment d'arrêt, de réflexion ». Mais on y lira une précision utile : « La théorie d'Aragon n'avait pas touché Guillevic tant que celui-ci possédait le jaillissement. (...) Si les *Trente et un sonnet* sont politiques, si leur publication, leur présentation par Aragon (et j'ajouterai, la conclusion qu'en a tirée Pierre Daix) sont des actes dont la portée fut essentiellement politique, ce contenu ne suffit pas à caractériser la poésie à forme traditionnelle de Guillevic ». Disons même que classer l'épisode des sonnets dans le chapitre des erreurs engendrées par la période finale du stalinisme — il y en eut d'autres, et de plus graves — serait sans doute faire preuve d'un positivisme étroit. Quand on a vu Guillevic rechercher, depuis *Terraqué*, une adéquation entre son idéal conscient et ce qui surgissait de son activité créatrice, quand on l'a vu, croyant l'avoir trouvée, se crisper sur elle bien plus longtemps que ne le lui demandaient les nécessités extérieures, puisque ce n'est qu'en 1959 qu'il interrompt une production en vers réguliers qu'il ne publiait d'ailleurs plus, on est contraint de se poser la question du sens. Non pas du sens de surface de ces sonnets sans doute trop clairs — et si nous ne les avons pas cités jusqu'à présent, c'était pour ne pas les rejeter en son nom —, mais de cet infra-texte qu'est l'œuvre de Guillevic au moment où il traverse leurs profondeurs et n'émerge, fragmentairement, que par eux.

*
**

Pour en juger de l'intérieur, il faut oublier ce qu'est un sonnet, oublier le contexte politique, se replier autant qu'on peut sur l'imaginaire de *Terraqué*, et postuler que celui de cette écriture nouvelle n'est pas nécessairement différent. Il est alors possible de s'interroger sur la relation de cette écriture et de cet imaginaire, sur sa capacité de l'amener au jour, et sur le statut du sujet, découvreur de cet univers à mesure qu'il l'énonce et tentant de le maîtriser par ce progrès d'énonciation-même.

L'ÉCOLE PUBLIQUE

A Saint-Jean-Brévelay notre école publique
Etait petite et très, très pauvre : des carreaux
Manquaient et pour finir c'est qu'il en manquait trop
Pour qu'on mette partout du carton par applique,

Car il faut voir bien clair lorsque le maître explique.
Alors le vent soufflait par tous ces soupiraux
Et nous avons eu froid souvent sous nos sarraux.
Par surcroît le plancher était épisodique

Et l'on sait qu'avec l'eau du toit la terre fait
Des espèces de lacs boueux d'un bel effet.
— Pourtant j'ai bien appris dans cette pauvre école :

Orthographe, calcul, histoire des Français,
Le quatorze juillet, Valmy, la Carmagnole,
Le progrès, ses reculs, et, toujours, son succès.

20 février 1954.

Du point de vue du sujet, l'apport est évident : non seulement il ose se mettre en scène à la première personne, mais de plus ses coordonnées déictiques sont resserrées comme jamais. Par le recours au nom propre désormais permis, d'abord : « A Saint-Jean-Brévelay » ouvrant le poème fixe la représentation en un lieu. Mais surtout par un rigoureux système de subordinations syntaxiques qui utilise les temps (passage de l'imparfait au perfectum « j'ai bien appris ») et les prépositions : l'école « à Saint-Jean-Brévelay », et « Je » « dans cette pauvre école ». Cette cohésion est renforcée par des convergences structurelles et sémantique : le trait « pauvre », d'abord présenté emphatiquement par le redoublement de l'adverbe « très », est ensuite développé dans une série d'exemples, articulés sur une chaîne syntaxique (« alors », « par surcroît »), et repris en chiasme pour clore le tableau (« école pauvre » « pauvre école »). Mais tout cela ne doit rien au sonnet, ni même au vers régulier. Il serait beaucoup plus juste de parler d'une rhétorique dont Guillevic s'interdisait l'usage, et qui coordonne et subordonne des fragments du monde et du moi qui dans l'écriture précédente apparaissaient par plaques.

L'apport spécifique de la diversification serait davantage à chercher du côté des rimes, et des appels qu'elles créent. Immédiatement se perçoit une démarcation entre celles qui semblent relever d'une nécessité dénotative et les autres, entre celles qui renvoient la représentation particulière à notre expérience globale de la langue et du monde et celles qui au contraire semblent ressortir à une individualité irréductible. Tel est le cas du plancher « épisodique » : nul dictionnaire n'accorde à cet adjectif temporel une signification spatiale. De fait, il introduit dans la continuité descriptive une faille par laquelle s'entrevoit une autre temporalité, dont relèverait l'étrange « pour finir » du vers 3, auquel répond le « alors » du vers 7 : comme si, en infratexte, un récit fantastique s'élaborait, que ne parviendrait à dissimuler que de place en place, « par applique » — autre rime peu attendue par ailleurs —, le fonctionnalisme qui fait substituer du carton aux carreaux manquants. Ce récit caché a sa temporalité, qui n'est plus le passé : « il faut voir », « l'on sait », « la terre fait ». C'est le présent intemporel du rêve, qui se déployant tend à justifier d'autres rimes aberrantes. Où, sinon dans l'imaginaire guillevicien de l'étang, une flaque peut-elle devenir un « lac », et surtout où ce « lac boueux » peut-il être jugé « d'un bel effet » ? Et où les hautes fenêtres deviennent-elles « soupiraux », sinon dans *Terraqué* :

> Les murs quand ils sont hauts,
> Surtout ceux qui n'ont pas fenêtres et rideaux,
> Qui ont traînées parfois de gris jaune et de noir
> Dessous les cheminées,
>
> Sont bons pour être écrans aux visions des passants
> Qui n'y trouvent pas forme ni leçon,
> Mais soupirail.

Devant ce paysage fantasmé, l'anecdote scolaire recule. Il n'y a plus de plafond transpercé par la pluie, mais un élément supérieur, « l'eau du toit ». Plus de trous dans le plancher, mais un élément inférieur, la « boue », Terra-aqua, confrontation de la terre et de l'eau, le poète est dans un imaginaire qu'il n'a pas quitté et qu'il connaît de connaissance, au sens propre : « l'on sait », depuis que l'on existe. Ainsi s'explique la réminiscence de l'ambition essentielle, inductrice de l'étrange substitution du verbe « voir » au verbe entendre qu'appellerait le sens du cinquième vers : nous le savons, ou plutôt « l'on sait », depuis *Terraqué*, que c'est « voir » qui « apaiserait »

> Car voir
> Se fait dans la lumière

C'est au terme de cet « effet » — effet de sens, effet de rêve — qu'intervient le « pourtant » qui joue son rôle d'opposition aux deux niveaux du texte. En surface, il oppose l'efficacité de l'école à sa pauvreté. En profondeur, il vient interrompre le développement de cette rêverie qui devenait prépondérante pour ramener à l'anecdote. Le paradoxe est que ce débordement de la subjectivité soit rejeté — dans le texte et dans le passé — par le pronom même de la première personne : mais précisément, on sait qu'il est quasiment absent de la rêverie primitive, dont Serge Gaubert montre qu'elle est « indifférenciation première ». Ce que le « je » va s'approprier dans les quatre derniers vers est tout extérieur : non pas du monde des objets, avec lequel la confrontation fait d'emblée intervenir l'imaginaire, mais de celui, plus rassurant, des concepts : disciplines scolaires, noms propres dont le référent est à jamais disparu, notions de « progrès » et de « succès ». De cela il se construit — c'est le sens du perfectum « j'ai appris » — sans risque de débordement ni dans l'imaginaire, ni dans le texte. Et c'est là qu'apparaît ce qui est peut-être l'avantage essentiel du sonnet par rapport à d'autres séquences strophiques, et qui est sa clôture. Car autant les jaillissements du moi profond se limitent eux-mêmes par leur soudaineté, autant cet empilement de concepts peut être illimité : en l'occurrence d'autres disciplines, d'autres termes historiques, d'autres slogans préconstitués dans la langue pourraient venir s'ajouter, si le nombre de vers ne venait les borner. Ajoutons que dans les tercets, la contrainte beaucoup moins forte des rimes n'induit pas de recherches hasardeuses par où risque de sourdre la rêverie, et que le système croisé final est l'incontestable borne du parcours.

Bien entendu, l'organisation des différents sonnets varie, et le partage des rôles entre quatrains et tercets n'est pas partout identique. Les zones mêmes d'émergence de l'imaginaire sont plus ou moins vastes, mais la constance de celui-ci demeure :

AU PAYS NATAL

Les bois à Colpo, la mer à Carnac, la lande
A saint-Jean-Brévelay, j'ai bien vu moi qu'ils ont
Une égale colère et crient sur l'horizon
Par le terrible gris, guéri de la légende,

Qu'ils crient par tous les vents, par les corbeaux en bandes,
Par les couleurs de leurs arbres, de leurs maisons,
Crient contre les maudits et leurs combinaisons
De remettre debout une armée allemande,

Pour nous tenir et s'il le faut pour nous tuer
Et voir leur règne encore un peu continuer —
Alors que nous voulons vivre en paix et en joie

Sur la terre autour de nous, belle comme elle est.
La mer à Carnac, les bois à Colpo, qu'ils soient
Entendus, et la lande à saint-Jean-Brévelay.

16 février 1954

Ici, le chiasme « les bois — la mer/la mer — les bois » n'embrasse pas seulement les quatrains, mais tout le poème. Et c'est au centre, non au terme, que se trouve la dénotation politique. C'est dire que la distribution syntagmatique n'est pas la même, mais les mêmes paradigmes y viennent en incidence. C'est d'abord le même « je », également situé dans l'espace par des noms propres, et rejetant dans le perfectum une expérience dont il s'exclut au profit d'un « nous » dont le statut est différent : il est narré et non pas narrateur (« je » dis que « nous »), mais de plus il représente une régression dans la différenciation, renvoyant à l'état confus de conscience qui était celui de *Terraqué* :

Et nous pourrons peut-être
Nous faire ensemble une raison

C'est ensuite la même confusion entre le visuel et l'auditif, dans une sorte de globalisation de la perception. Et par un retournement que nous avons déjà constaté à propos de la rime, c'est le lien syntaxique, normalement agent de concordance, qui au contraire souligne la transgression :
« J'ai bien ... vu qu'ils crient... par les couleurs. » Voir, c'est entendre, l'égale couleur est aussi, phonétiquement, une « égale colère », « le terrible gris ».

Tu regardes un caillou ramassé par hasard
A l'abri d'un buisson

Et puis tu t'aperçois
Que plus tu le regardes
Et plus sa force est grande

A t'éclater les yeux que tant de choses appellent
Et que l'ombre choisit

Quand le soleil est cet œil lourd
Clamant midi

Dans ce poème d'*Exécutoire*, c'est par la médiation du « caillou »
que passait cette même transformation de l'hallucination en
assourdissement. Dès lors, le gris obsédant est-il vraiment la
couleur des « arbres » et des « maisons » que ne porte d'ailleurs
pas « la mer à Carnac », ou celui d'une armée qui n'est pas
« l'armée allemande », et plus qu'elle « de légende » — nouvelle
induction perverse de la rime —, la troupe effrayante des
menhirs. Le poème ici creuse une absence, celle de l'innommable,
que précisément cette nouvelle rhétorique qui inclut le nom
propre permet de désigner : « Carnac » est bien nommé, mais
présenté comme le lieu de la mer, alors qu'il est celui de tout
autres phantasmes :

> Les menhirs la nuit vont et viennent
> Et se grignotent
> Les forêts le soir font du bruit en mangeant.
>
> La mer met son goëmon autour du cou — et serre.
> Les bateaux froids poussent l'homme sur les rochers
> Et serrent

(Carnac, in Terraqué)

« …pour nous tenir et s'il le faut pour nous tuer / Et voir leur
règne encore un peu continuer. » Les trois lieux du poème de
Terraqué sont les mêmes que ceux du sonnet : la forêt, la mer, la
lande, ici établie dans sa verticalité non par les indicibles menhirs,
mais par la rime « lande/corbeaux en bandes ». Et c'est la même
victoire de la durée sur l'homme. La « paix » et la « joie » ne sont
pas siennes, ni la beauté, mais elles appartiennent à « la terre
autour de nous », ou aux *Rocs* dressés :

> Ils n'ont pas voulu être le temple
> Où se complaire.
>
> Mais la menace est toujours là
> Dans le dehors.
>
> Et la joie
> Leur vient d'eux seuls,
>
> Que la mer soit grise
> Ou pourrie de bleu.

(Terraqué)

La fin du sonnet est allégeance à cette situation : que la terre soit
« comme elle est », que la mer et le bois « soient » : nouveau
glissement vers l'infra-texte imposé par le mètre et la rime qui,
rejetant « entendus » dans le vers suivant, en font une épithète

d'état permanent, et laissent au verbe être sa valeur absolue. Le titre même apparaît alors comme doublement signifiant : superficiellement, il s'agit d'un poème rédigé « au pays natal » ; profondément, c'est un aveu d'allégeance « au pays natal ».

Il ne faudrait toutefois pas conclure que l'infra-texte détruit le texte de surface, ou simplement lui ôte tout intérêt poétique. Au contraire, dans la mesure où ce sonnet ne se borne pas, comme le précédent, à laisser émerger l'imaginaire guillevicien, mais l'assume tout entier avec les conflits phantasmés qui le traversent, il est lieu de travail sur cet imaginaire. Il réalise l'ambition déjà affirmée dans *Terraqué* de « construire la peur » de prime abord subie, en lui donnant une extériorité et une rationalité : celle de « l'armée allemande », contre laquelle un « je » dès lors nettement différencié de l'objet de sa peur peut efficacement s'insurger. La seule objection recevable est que cette mise en ordre — absolue, par la vertu du sonnet — s'effectue au niveau du texte de surface, et qu'elle est contredite au niveau profond qui se clôt au contraire sur la soumission et l'enfermement.

La tentation pourrait dès lors être de limiter les émergences de l'infra-texte, fauteur de troubles, jusqu'à les réduire à néant, afin que seul subsiste l'ordre du texte de surface. Et pour cela, de gommer toute référence au sujet, par où s'insinue inévitablement l'inconscient, et même tout jugement de celui-ci sur le monde. C'est-à-dire, puisque l'acte de nomination est déjà jugement, de n'assembler que des événements déjà formulés et véhiculés par la langue, et dont l'origine factuelle se situe dans un monde spatial et temporel qui ne puisse être connu directement. C'est toute l'abstraction des sonnets précisément intitulés *Affaires*, sans autre précision qu'un numéro d'ordre :

III

Deux millions de quintaux d'orge nord-africaine
Vendus sur l'Allemagne en monnaie U.E.P.,
Arbitrage en dollars par les vendeurs groupés
Pour achat de blé dur sur place américaine,

Revente en Argentine et maïs indigène
Acheté pour la France et pour se rattraper.
Tout cela quatre à quatre ; il fallut galoper
Pour arriver avant qu'un autre ne s'amène.

Enfin l'orge est vendue et le maïs livré.
Il n'y a pas à dire, on s'en est bien tiré.
Qui donc pourrait nier ce que la France y gagne ?

Ils étaient trois vendeurs, trois trusts plutôt puissants
Qu'honore le profit, que la gloire accompagne.
Il leur suffit de dire et le pouvoir consent.

13 mars 1954.

Il semble que le but poursuivi soit la déréalisation maximale, obtenue par l'effacement de toute approche sensible des faits. Ni l'orge, ni le blé, ni le maïs ne sont donnés à voir ou à sentir, leur origine géographique elle-même est absorbée dans une simple indication de nationalité, qui dispense de nommer plus précisément même la « place américaine ». Les trusts non plus ne sont ni nommés, ni figurés visuellement comme dans le poème du même titre vu dans *Gagner :* seuls nous sont offerts le synonyme « vendeurs », stricte indication de fonction, et des attributs tellement convenus (« puissance », « profit », « gloire ») que la langue les a intégrés dans leur association-même, de la royauté au show-business. L'extrême abstraction se manifeste au niveau lexical dans le petit nombre des signes, que l'on prend le parti de répéter plutôt que d'en proposer des équivalents, forcément imparfaits, susceptibles d'entraîner des glissements de sens : le lexème « vendre » est repris cinq fois (sous ses formes réalisées « vendu », « vendeur », « revente »), le lexème « acheter » deux fois (« achat », « acheté »), « dire » trois fois (« dire », « nier »), « orge » et « maïs » deux fois chacun.

Dès lors, la positivité de la contrainte est précisément le régime d'appauvrissement sensoriel que l'on doit faire subir à l'événement pour le faire entrer dans ce cadre étroit du sonnet. Le temps même de l'histoire est réduit à un temps du récit presque nul, tel que le recours au verbe conjugué serait une longueur excessive : lui est préféré un agencement de participes passés (« vendus », « acheté », « livré ») et de substantifs désignant un procès (« arbitrage », « pour achat », « revente »). En dehors de cette fonction essentielle de réduction, le travail du poète est pédagogique : tout en se maintenant dans une langue donnée, qui est celle d'une communauté linguistique et idéologique, il propose des équivalents dans différents niveaux de langue — ce qui est effectivement une tâche proprement poétique, puisque c'est développer sur l'axe de la combinaison l'axe de la sélection. On peut ainsi lire dans le même vers « arriver » et son équivalent « s'amène », « trusts » et son équivalent « vendeurs », quand ce n'est pas tout un vers qui est repris dans un registre différent : « il n'y a pas à dire, on s'en est bien tiré » est reformulé dans « qui donc pourrait nier ce que la France y gagne ? ». C'est même toute l'organisation du sonnet qui apparaît comme tautologique : « l'orge est vendue » est la reprise résumée des vers 1 + 2, « le maïs livré » des vers 5 + 6. On s'aperçoit alors que ce poème est fait de trois formulations de la même scène. La première couvre les deux premiers quatrains, et offre un développement circonstanciel relativement riche. La seconde, introduite par un « enfin » qui ne marque pas la conclusion d'un récit, mais un retour réflexif, tente de résumer les caractères essentiels de la démarche (rapidité et profit), tout en rappelant en un vers son objet. La troisième, introduite par un « ils étaient » qui est une formule traditionnelle d'ouverture d'un nouveau récit, ne reprend ni les circonstances ni même l'objet et focalise sur l'essentiel : la puissance supranationale des trusts.

Démarche de concentration progressive tout à fait guillevicienne, de même que l'obtention finale d'une formule en aphorisme. Et il est significatif de voir Guillevic, s'appuyant pleinement sur le sonnet, ruser toutefois avec lui et avec sa compacité pour y rétablir linéairement son propre cheminement, tout en éprouvant la satisfaction d'un ordre enfin conquis qui éclate dans la rhétorique finale. Mais n'a-t-il pas été conquis si facilement que parce qu'il assemblait des mots déjà ordonnés ? En excluant, en refoulant tout ce qui pourrait monter de lui-même, Guillevic accueille un langage, celui de sa communauté de langue et de valeurs, déjà préordonné en discours, et par lequel il est parlé bien plus qu'il ne le parle. D'où son étonnement devant la « facilité » d'une telle écriture, et sa capacité de véhiculer ce qui lui apparaît comme des éléments individuels, qui sont en fait des lieux-communs culturels, tels « le pays natal » ou la pauvre école de campagne, qui préexistent dans la langue. Il écrit, dans une lettre que cite Aragon dans son article du 4 mars 1954 : « Ce que je sais, c'est que cette forme (le sonnet) m'a permis d'exprimer des choses que je n'étais pas arrivé à dire autrement, en particulier, mon pays natal et l'armée allemande ; de retrouver en moi des sentiments enfouis profondément (voir le sonnet *L'école publique*). Ce que je sais, c'est que je ne me sens pas gêné avec le vers régulier et la forme fixe. Je me sens au contraire porté par eux et ce qui m'inquiète plutôt, c'est mon aisance (je m'entends : non pas l'aisance apparente, mais cette grande possibilité), j'ai peur que ce soit de la facilité. » Désappropriation qu'il exprimera autrement dans *Vivre en poésie :* « C'était un signe de ralliement, voire de soumission à la collectivité puisque, par le vers régulier, je retrouvais ce que l'on m'avait enseigné à l'école primaire d'abord, au collège ensuite ». Ouverture totale du sujet à un langage qui le traverse, qui est pleinement réalisée dans *Affaires*, alors que les deux sonnets précédemment analysés laissaient sourdre encore le moi profond. Mais ce cas limite de réussite, où Aragon « voi[t] comme le pas suivant de cette méditation poétique », manifeste aussi les limites de l'entreprise. Parler un discours déjà construit, c'est répéter : une telle écriture porte en elle sa condamnation à la tautologie, qu'elle atteindra d'autant mieux qu'elle réalisera davantage son programme. Celle-ci se manifeste dans *Affaires* comme elle se manifestera dans le sonnet à Tortel cité plus haut, où s'affirme et se réaffirme une certitude venue d'ailleurs, et sans doute dans tous les sonnets postérieurs demeurés inédits. Mais que demeure-t-il d'une autre exigence, intérieure celle-là, à laquelle Guillevic est tout autant attaché ? « J'ai toujours cru qu'il fallait creuser, en soi, autour de soi, à l'aide de tout ce dont on dispose : son intelligence, sa raison, son sens critique, sa culture, aussi bien que la faculté d'accueillir cette chose, ces choses qui montent de quelque noir, qui sourdent, qui jaillissent » (4). Les sonnets permettaient à la raison, au sens critique, à la culture d'ordonner certains aspects du réel, mais d'un réel externe, et cet ordre était conquis sur le refoulement de « ces choses qui montent de quelque noir ». Il faut, après les cauchemars paniques de *Terraqué*, comprendre l'euphorie de cette première différenciation du « je » par rapport à un monde qu'il lui semble ordonner. Mais la maîtrise de plus en plus parfaite de cette technique allait lui prouver qu'il payait cette appropriation d'une dépossession : celle de l'origine de sa propre écriture.

De cette origine, d'autres études ici disent la reconquête. Serge Gaubert montre en quoi les recueils des années soixante ressemblent et s'opposent à ceux des années quarante, en relevant la conversion modale à l'indicatif, la façon dont le « je » se pose désormais en interlocuteur de lui-même et du monde : « Le " je " du texte, celui qui nomme et fait relation, fixe les règles du jeu, et l'ordre du texte comme ordre du monde ». Situation effectivement impensable dans *Terraqué*, mais qui était en revanche déjà celle des sonnets, qui traçaient en quelque sorte le modèle vide, ou artificiellement rempli, de l'œuvre à réaliser. Significative en ce sens est la publication de *Carnac* en 1961, qui contient des poèmes pourtant postérieurs à ceux qui ouvrent *Sphère*, paru en 1963. Carnac, c'est le lieu effrayant de *Terraqué*, faussement apprivoisé dans les *Trente et un sonnets*, et doué d'une parole factice :

(4) *Je ne suis pas surréaliste*, in *Permanence du surréalisme*, Cahiers du XXᵉ siècle, nᵒ 4, Klincksieck, 1975.

La mer à Carnac, les bois à Colpo, qu'ils soient entendus...

Il n'est pas vrai que le message de l'océan soit une protestation contre le réarmement de l'Allemagne. Mais il ne faut pas non plus pour autant conclure comme dans *Terraqué* que

> L'océan
> N'est que de la mer

Carnac, rédigé tout entier sur le mode allocutoire, en dialogue avec l'élémentaire, dit qu'une relation est possible, sans agression ni récupération, en reconnaissance d'une différence. Nous avons ainsi une nouvelle adresse à « la mer à Carnac », et une réponse nouvelle :

> Sois ici remerciée
> De n'être pas pareille à nous
>
> Dont le rêve est toujours
> D'être réconciliés
>
> Quand pourtant
> Ce n'est pas possible.

Et de même qu'ils sont parole vraie, ces courts poèmes sont équilibre réel, sans que nulle forme préétablie vienne les mouler de l'extérieur. Sur ce point aussi, les sonnets inscrivaient un désir d'une esthétique qui relève en même temps du fragment et de la plénitude, réalisée en répétition d'une forme parfaite. Le titre même du recueil *Sphère*, explicité en un poème, manifeste le but atteint de l'intérieur dans l'image de ce volume dont tous les points sont équidistants du centre :

> J'ai possédé parfois
> Le volume et la courbe
>
> La vôtre avec la mienne,
>
> Et j'ai tout enfermé
> Dans la sphère qui dure
>
> Qui pourrait durer plus
> Si je n'y mettais fin
> Pour encore essayer.

Les cinq premiers vers donnent à voir l'unité conquise, l'équilibre trouvé, que les trois derniers déstabilisent pour le plaisir avoué de le recréer plus loin. Chaque poème devient alors l'épreuve — et la preuve — que l'unification du monde est possible, par reconstruction de la forme-sens de cette unité. La répétition des sonnets peut être lue comme l'état antérieur de cette ambition, et être renvoyée, bien postérieurement, à ces autres poèmes à forme fixe

— mais originale — intitulés *Bergeries,* dont Serge Gaubert montre que chacun renferme en trois distiques la démarche complète qui, partant de la peur de l'élémentaire, passe par la médiation de l'autre et s'achève sur une victoire sur la peur.

Sur un axe, des contingences politiques, un parcours événementiel ; sur un autre, la nécessité d'une recherche et la logique de l'œuvre qu'elle produit ; à leur intersection, les sonnets. Matérialisation non de l'incohérence, mais de la discontinuité d'une démarche d'élucidation faite de tâtonnements successifs, et qui pourrait être opposée au processus d'enveloppement d'un Saint-John Perse. Mais il est sûr que Guillevic a maintenu à son horizon un espoir d'équilibre du sens et de la forme, dont les sonnets lui offrirent l'apparence et non la réalité, affirmé dès *Terraqué* comme un des articles de son *Art poétique :*

> Il fallait que la voix
> Tâtonnant sur les mots,
>
> S'apprivoise par grâce
> Au ton qui la prendra.

Jean-Yves DEBREUILLE

BRUNO GELAS

A PROPOS DE SPHÈRE

DU CHEMIN AU CHANT

LA QUÊTE D'UN RAPPORT

> « (...) lorsque la conscience m'est venue du registre qui devait
> être le mien, j'ai pris position contre le lyrisme. (...) Je me suis
> aperçu, depuis, qu'il y a lyrisme et lyrisme, comme il y a chant et
> chant. »
>
> *Vivre en poésie*, p. 185.

Et, de fait, la première image que critiques et lecteurs se sont
donnés de Guillevic l'apparentait à ce courant délibérément
anti-lyrique d'une poésie des choses au quotidien, hâtivement
baptisé « matérialiste » parce qu'il semblait opérer un retour
vindicatif à l'ordre de la représentation. Et puis l'on s'est, à son
tour, aperçu qu'il y avait choses et choses...

Au cœur de la *Sphère* qu'il publia en 1963, deux suites de
poèmes regroupés sous les titres généraux de « Choses » et de
« Conscience » offrent, par leur juxtaposition déjà et l'effet de
symétrie qu'elle provoque, une première image d'une poésie qui
n'est pas celle des objets ou du monde alentour, mais d'un
rapport à ces derniers. La première section laisse percer une
typologie possible de ces rapports, allant du soin apporté à
l'entretien du « Bahut » jusqu'à l'analogie rêveuse que propose ou
éprouve le poète entre lui-même et « Un bol » :

> Fait, toi aussi,
> Pour contenir.

Et, dès les premières pièces de « Conscience », le même thème est repris, d'un point de vue complémentaire du précédent : ce sont les affirmations que :

> Dans les pierres, dans leur intérieur,
> Il n'y a rien d'autre que la pierre
> A saluer.

(Saluer : entrer en contact),
qu'un paysage n'a de sens qu'à permettre d'y vivre (« Paysage »), et que, s'il est vrai que le muret « ne te parlait pas », c'est parce qu'il

> Parlait avec toi,
> Ensemble avec toi. (« Parler »)

Partout, avec une insistance qui ne se dément jamais, l'accent est ainsi porté sur une relation à établir, dégager, imposer ou découvrir. C'est à la constance d'un tel projet qu'il faut sans doute rattacher la préférence que Guillevic dit accorder à la comparaison plutôt qu'à la métaphore, soupçonnée de substituer à la dimension du « rapport » celle de la « fusion » (« une chose peut être comme une autre chose, elle n'est pas cette autre chose », *V. en P.*, p. 183). Il lui oppose une détermination inébranlable de distinction entre les choses, entre les mots, entre les êtres, entre chacun d'entre eux et celui qui parle, non pour préserver une quelconque intégrité spécifique, mais parce que cette distinction lui apparaît au contraire comme la condition a priori et le germe de leur « animation » réciproque. — C'est-à-dire de leur vie, bien sûr ; mais de leur vie réciproque : celle qui répond au vœu, plusieurs fois formulé tout au long de *Sphère*, d'une existence « à notre mesure », dans un espace où se nouent des associations et se font des rencontres qui n'ignorent ni les heurts ni la bienveillance mutuelle

> Aux dimensions de la bonté. (« En cause »)

En regard, la (con)fusion et le farouche repli sur soi — qui ont en commun de rompre toute dialectique de l'extérieur et de l'intérieur, du monde et du sujet, des choses et de la conscience — se rejoignent dans un semblable refus d'affronter et de parcourir cet espace de conjonction/distinction. Dans l'appréhension complexe que Guillevic a de la mort, ce qu'il repousse est d'abord l'isolement forcé dans les « lointains rivages/Où l'on parque les morts » (« Elégie ») :

> Ce n'est pas moi
> Qui fermerai,
> (...)
> C'est qu'on me fermera. («De ma mort»)

c'est l'image de ces «corps trop blancs» et trop abandonnés que sont devenus les cadavres :

> Du moins je n'aurai pas
> A me connaître alors,
> Pas à me voir cadavre. (id.)

Mais c'est aussi — et pour les mêmes raisons d'inaccessibilité contrainte et figée — la décomposition des corps qui se mêlent à la terre et sont indistinctement soumis à la loi de son opacité :

> Mais la terre est opaque
> Et ne connaît les morts
> Que pour les envahir. («Elégie»)

L'esthétique et la morale de Guillevic plaident ainsi pour que la pratique des mises en rapport(s) fonde progressivement un espace qui soit espace de vie et espace d'écriture : c'est ce qui se dit dans le titre même de *Vivre en poésie*, ou dans le double registre que file le dernier poème de Sphère («En Cause»), lorsqu'il s'achève sur la quête d'un chant où s'expriment à la fois l'alliance du «nous» et les noces avec la terre. Aussi bien, cette fascination pour le chant, qui apparaît à maintes reprises dans le recueil, ne tient-elle pas à ce qu'il implique à la fois l'accord et la mesure ?

> Tout se touche et s'affine,
> Arrive dans le chant.
>
> L'étendue se rassemble
> Autour de notre vœu.
>
> La lumière est donnée
> Pour écouter le chant.
>
> Merci pour nos journées
> Qui ont la dimension
>
> De la terre livrée
> Aux profondeurs des noces. («En cause»)

Il ne faudrait cependant pas que le rapprochement des termes «Choses» et «Conscience» nous précipite hâtivement, et comme de manière réflexe, dans les seules catégories d'une phénoménologie dont Guillevic ne renierait sans doute pas les principes, mais qui resterait à un trop grand degré de généralité (le stade précisément, du projet et de l'«intentionnalité») pour rendre un compte suffisant du mouvement des poèmes. L'espace précédemment évoqué ne se contente pas d'offrir le cadre a priori d'une saisie de soi-même dans et par la perception constitutive de l'objet ; il influe sur les modalités mêmes de ce double mouvement, il lui permet de prendre figure et rythme, il en organise la représentation. En ce sens, plus encore que sur le rapport aux choses, la poésie de Guillevic est fondée sur l'histoire de leur approche. La dimension narrative s'y révèle essentielle, pour peu qu'on ne la limite pas à une conception trop étroite d'un récit fondé sur une succession d'événements rapportés (représentés). On en trouvera, certes, et d'importants, mais la trame narrative des poèmes ne se constitue pas prioritairement sur eux, scandée qu'elle est plutôt par l'attente de l'événement, la provocation (l'appel) de sa venue.

C'est pourquoi la figure du chemin tient une telle place dans *Sphère :* il donne son titre au premier poème du recueil, y réapparaît tout au long comme sa scène essentielle et ne s'efface nullement, dans les derniers vers de «En Cause», derrière la stabilité du lieu habitable où il conduirait : il se perd dans les «confins» :

> Le long chemin
> Nous a menés
> Jusqu'aux confins. («En Cause»)

zone limite et zone floue qui en est peut-être l'accomplissement, puisqu'elle se définit à la fois par sa plus grande proximité du but et par la poursuite d'une marche indéfinie.

Cheminer : verbe «intransitif». Dans l'histoire qu'évoquent les poèmes, ce qui se passe, c'est que ça chemine — qu'il y a passage, précisément. Toute une spatialité, toute une temporalité et toute une esthétique en découlent.

Au chemin qui ne mène nulle part — puisque telle est la réponse à la question inaugurale de «En Cause» : «Où être bien ?» — s'opposent à première vue les espaces des maisons refermées sur leurs murs, ou des corps «trop blancs» qui sont parqués loin du chant. Mais un poème comme «Je t'écris» fait justice à la tentation que nous aurions de dresser sur ces bases un paradigme du dedans et du dehors. Il est bien attesté dans les premières séquences, qui opposent le «pays où il fait noir» :

> Je ne sais pas ce qu'est ce noir,
> Je suis dedans.

à celui qui se trouve derrière « le mur / Qui est au fond du noir » :

> Je sais que dehors
> Il ne fait pas noir.

Souffrance du noir et de l'enfermement — mais souffrance qui fait (t')écrire, et, très vite, l'évocation du dehors recherché pour lui-même est frappée d'inintérêt :

> Dehors, mais je ne saurais plus
> A qui j'écris.
>
> Et que sera, dehors,
> Dans le feu et le vent,
> Celui qui doit t'écrire ?

Cette situation sans issue (dedans + noir vs dehors + lumière), qui est impasse (non-passage), n'est levée que par une redistribution des éléments en présence : en faisant se conjoindre l'extérieur et le « noir », la suite du poème ruine d'une certaine manière la pertinence et la stérilité de la première opposition (entraînant de surcroît une modification énonciative) :

> A moins qu'un jour —
> Est-ce que ce sera le jour ? —
> Nous sachions être ensemble, je le veux,
> Pour le dehors et pour le noir.

Le chemin est alors institué : il est le seul espace possible de l'intimité et d'une tendresse au monde et à autrui. Et plus aucun lieu — pourvu qu'il soit pris dans le cheminement — n'est frappé d'hostilité : la maison que « Tu voulais contourner » (« En Cause ») car elle « ne peut être que malaise » devient le carrefour et le rendez-vous des « tablées fraternelles » lorsque (et parce que) elle s'inscrit dans un tel passage :

> En revenant des longs parcours
> De la campagne interrogeante,
>
> La soupe affectueuse,
> Les mets intelligents
>
> Etablissaient avec la terre
> Des rapports à notre mesure. (« En Cause »)

Dans ce cadre riche de toutes les potentialités, les temps privilégiés sont évidemment ceux de l'attente :

Tout s'oubliera,
Sauf cette attente
Qui fut comblée. (« En Cause »)

qui s'opposent à toutes les formes de l'achevé. Ainsi de l'« Elégie » adressée à une jeune fille morte, et dont la trame narrative consiste, d'une certaine manière, à restituer la disparue au désir d'un espace présent, fait des violettes, du noisetier et du « bêlement des chevreaux de lait ». Ainsi encore de ces variations de l'attente qui réapparaissent ponctuellement au fil des poèmes à travers le recours au conditionnel ou l'évocation de rêves, traces d'un possible dont le contenu propre importe moins que le mode d'énonciation.

Mais c'est dans l'écriture du recueil que se traduit le mieux, sans doute, cette esthétique du cheminement. Guillevic évoque lui-même (et revendique) le caractère illogique que revêt l'absence de distinction dans l'emploi du terme « poème » appliqué à son œuvre : n'est-il pas apte à désigner aussi bien « l'ensemble verbal (strophes, vers et mots) ayant une certaine autonomie » (ce qu'il appellera « quanta » à partir de *Du Domaine*) que la suite dans laquelle ces ensembles s'intègrent, et qui offre elle-même une unité (cf. *Vivre en Poésie*, p. 170) ? En fait, cette hésitation lexicale correspond parfaitement à ce qu'a de spécifique la quête intransitive qui nous retient ici, en laquelle s'allient le plaisir de l'instant (le contact, l'établissement du « rapport-à ») et celui d'une durée indéfinie (la marche). Poésie nullement fragmentée — au sens où le fragment s'expose lui-même dans son inachèvement nécessaire — mais faite de niveaux successifs de plénitude : ce caractère tient sans doute avant tout, dans *Sphère*, à la recherche d'une régularité rythmique et prosodique (une « mesure »...) telle qu'elle puisse s'articuler à l'apparent morcellement de la mise en page. Les ensembles minimaux mettent toujours en œuvre des procédures de symétrie interne, qui trouvent notamment dans le fréquent recours à la succession de deux ou trois hexasyllabes leur support privilégié. Ainsi fondés sur une structure d'équivalence qui confère à chacun son « autonomie », isolés les uns des autres, il produisent un effet semblable à celui qui nous conduit à extraire de son contexte le vers d'un poème classique, à nous y arrêter, le retenir et goûter en lui une sorte de totalité sonore, prosodique et sémantique. Mais les blancs qui séparent ces unités de base n'ont pas pour autant effet de rupture : soumis, eux aussi, à la fréquence régulière de leurs retours, ils remplissent par là une fonction de continuité. Quand l'alternance du chant et du silence atteint à une telle régularité dans le va-et-vient, on ne peut plus dire lequel fonde l'autre, lequel est à identifier comme élément signifiant de base :

> Le chant
> Peut être du silence. (« En Cause »)

(Le chant : peut-être du silence ?)

On ne peut pas davantage dire si le plaisir de marcher à l'aventure tient au déplacement ambulatoire ou aux fugitifs instants d'arrêt qui le scandent... — Alors, Guillevic poète du poème bref, de la monade en vers, de l'antilyrisme ? - Allons donc ! il est plutôt celui qui ne cesse de composer des fugues d'instants ; il aime trop entendre se répondre sans fin le chant et le silence, la parole et l'écoute ; il est trop vraiment lyrique pour cela...

La figuration d'un espace ni le tempo d'une marche ne suffisent cependant à constituer une dimension narrative, s'ils ne deviennent pas le cadre formel à l'intérieur duquel s'inscrit et se développe l'aventure du poème. Or celle-ci suppose un avant et un après, quelque chose qui arrive, une transformation opérée, et elle nous contraint à revenir sur le sens du cheminement.

Peut-être par l'image de la « sphère », toute ordonnée autour d'un centre caché, à partir et autour duquel elle s'épanche en même temps qu'elle ne cesse de converger en lui : double mouvement de dilatation et de concentration où se retrouvent le lien entre les « ensembles minimaux » et la continuité de la suite qu'ils tissent. La sphère articule à la fois le mouvement indéfini, le défi des confins à la stabilité des limites :

> Si la fin
> N'avait pas de bord ? (« De ma mort »)

et la certitude d'un terme :

> Un poème peut-être
> Ou la fin de mes jours. (*ibid.*)

« De ma mort » le répète à maintes reprises : le paradoxe du cheminement est le même que celui de l'écriture : sans se proposer aucun but, celui qui s'y adonne sait de l'un et l'autre qu'ils recevront leur terme — et que c'est cela qui fonde leur déroulement :

> Parce qu'il y a terme
> A ces jours devant toi,
>
> Que d'aller vers ce terme
> Fait par-dessous tes jours
> Un creux qui les éclaire,
>
> Tu as le goût
> De ces rapports qui sont de joie
> Avec les murs et le rosier.
>
> Le voyage était là, partout,
> Le voyage était de toujours.
> (...)
> Le but gardé
> Comme un secret. (« De ma mort »)

Mort inimaginable (« Du moins je n'aurais pas / A me connaître alors ») ou œuvre de langage, le terme de la quête intransitive échappe à l'ordre de toute représentation possible — un comble pour ce poète du rapport aux choses ! L'attente primerait-elle sur l'événement ? La cantate (ou l'incantation) sur la narration ? Pourtant, à lire et relire les principales « suites » du recueil, nous percevons bien que quelque chose s'y passe, quelque part, qui permet de redécouvrir « ce que c'est / Que bien dormir » (« Chemin »), qu'un sacrifice a eu lieu qui a permis de dépasser le cri (« Pays »), que la morte

> Soustraite, évanouie,
> Peut devenir soleil. (« Elégie »)

et « En Cause », tourmenté et questionnant, se termine sur la confiance d'un « On a tenu ».

Il apparaît, en fait, que la plupart des « longs » poèmes du recueil prennent leur essor à partir d'une énigme — mais d'une énigme dont les termes se déplacent et qui se redouble en soupçon : il y a quelque chose à savoir, un secret à percer (sur la mort sans doute, la vie, le monde, l'amour...), mais ce secret doit être détenu quelque part, et la quête se détourne de ce qui est caché pour devenir quête de ce qui cache :

> L'étang doit savoir
> Et sous la lumière de la lune
> Il en dort mal. (« Chemin »)
>
> Je t'écoute, prunier.
>
> Dis-moi ce que tu sais

Du terme qui déjà
Vient se figer en toi. (« De ma mort »)

Qu'est-ce que tu voulais
Que je fasse de moi ? (« Elégie »)

Je n'ai pas d'horizon
Au-delà de ce mur
Sur lequel je t'écris.

Je n'écrirai pas plus
Que je ne peux savoir. (« Je t'écris »)

Il doit y avoir un chemin
Pour aller vers eux. (« En Cause »)

L'ancrage poétique de Guillevic tient à ce déplacement, qui lui fait abandonner les (grandes) questions du Sens et la réponse à en recevoir. A l'angoissante interrogation de « En Cause » :

D'où sommes-nous sortis

Pour avoir ces visages
A faire peine au jour ?

réplique ainsi la sérénité conquise d'un « mystère » qui s'est (presque) éteint :

Je regardais la terre
A la fin d'un beau jour.

Il n'y avait
Presque pas de mystère

Au bien-être des labours.

Rien n'a pourtant été dit du Grand Secret ; mais il y a eu entretemps la découverte de l'accueil et d'une patiente écoute (« Accueille encore, / Recueille encore. »), le désir de s'attacher à cela, celui ou celle qui pourrait apporter une réponse, et en fournit une autre que celle qui était tout d'abord attendue. D'où le recours aux mots les plus simples, aux choses quotidiennes, aux rythmes de la confidence : cette poésie n'est pas celle d'une connaissance à forcer, mais d'un apprivoisement :

Un refus de dire
Creusé dans le oui. (« Saluer »)

Si transformation narrative il y a, elle n'a donc rien à voir avec la résolution de l'énigme « originelle » (le terme n'est-il pas hors d'atteinte ?) ; elle réside dans le passage de l'ordre du savoir — du besoin de savoir — à celui du désir ; de l'ordre de l'objet de la quête à celui du sujet auprès de qui — avec qui — se mène la quête. Insistance, là encore, de l'intransitivité — mais en son sens le plus étroitement grammatical : pas un seul des titres où apparaît une forme verbale ne donne à cette dernière un complément d'objet direct : « Saluer », « Parler », « Maudire », « Tenir »... La seule modulation apportée à ces emplois d'infinitif absolu est dans la formule « Je t'écris », qui ne fait que confirmer le caractère secondaire de l'objet, et accentuer l'acte de l'adresse-à. Et, de fait, le poème ainsi intitulé ne cesse de commenter la situation d'écriture, avec sa charge de séparation et de désir, de savoirs contradictoires et de questionnements. C'est elle, et non le contenu de ce qui est écrit, qui est l'enjeu narratif du « passage » : le texte de la lettre murale n'apparaît d'ailleurs qu'à la fin, après l'évocation imaginaire (« A moins qu'un jour ») de la réunion des correspondants, et la mutation qui s'en suivra de la nature de leur « correspondance » :

> Je n'aurai plus besoin
> De chercher à t'écrire
> Sur le mur introuvable
> Où j'écris maintenant.
> (...)
> (...) je t'écrirai
> Avec mes lèvres sur ton corps.

Mais il ne s'agit peut-être pas que d'une évocation « imaginaire ». L'accent, qui était mis jusque-là sur la situation de communication, se reporte maintenant sur les moyens qui permettront de la renouveler : émergence de « ton corps » et du mien. La structure attributive du « Je t'écrirai » terminal s'atténue alors et laisse entendre une ambiguïté syntaxique — le statut du t(e) : datif ou accusatif ? — qu'interdisaient auparavant le contexte de la séparation et quelques occurrences d'une construction attestant simultanément les compléments direct et indirect (du type : « Ce que j'écris pour toi »). Il faudrait évoquer l'apparition, en filigrane, d'une sorte de complément de Sujet direct... ou, de manière plus sûre, rappeler qu'il n'y a de demande (d'objet) qu'adressée à un Sujet — et que c'est ce qui fonde dans le langage la dimension du désir. Il est, de fait, significatif que la citation du message écrit n'intervienne dans le texte qu'après cette reconnaissance du Sujet, et du rôle constitutif qu'il tient dans l'acte d'écriture. Et il est encore plus significatif que le contenu de l'inscription ne porte pas — comme on pouvait s'y attendre auparavant — sur la douleur de l'absence et de la séparation (c'est-à-dire sur le besoin qu'elles entretiennent), mais qu'elle commence par

Je bénis tes genoux

qui inscrit l'objet dans une relation intersubjective (je-tes mais aussi genoux/je-nous), et fait entendre le désir à travers la référence au corps et l'acte performatif d'une parole « adressée-à » : une béné-diction.

On lira, en regard, tout le passage de « En Cause » où ce poète du rapport aux choses et aux hommes éprouve successivement le désir auquel ces derniers en appellent (« Ce que tu voyais (...) disait pourtant / Qu'il y a besoin »), et leur radicale insuffisance à le combler par eux-mêmes de manière immédiate. Ce n'est pas le contact qui établit le rapport...

> Le feu,
> Pas le feu.
>
> L'espace,
> Pas l'espace.
> (...)
> Les hommes,
> Pas les hommes.

On peut ainsi mieux appréhender ce qui insistait à travers les paradoxes de la quête intransitive — cheminement sans but mais non sans orientation ni progrès, transformation narrative sans épisodes-pivots repérables, etc. A savoir que ce n'est pas dans l'ordre de la représentation qu'il s'y passe quelque chose, mais dans celui du langage que quelqu'un y advient comme Sujet. Les choses et les êtres ne sont pas plus décrits que n'est dit le Secret qu'ils étaient soupçonnés recouvrir ; mais ils sont inclus dans une adresse, et ne sont constitués comme objets (de désir, de discours) qu'en référence à une interlocution. — De là vient que Guillevic ait si fréquemment recours au registre pronominal de la seconde personne, jusque dans les poèmes de « Choses » apparemment les plus dépourvus de toute trace narrative :

> Comme si tu croyais
> Que je ne te suis rien (« Prunier »)
>
> Tu dors longtemps,
> Tu sais le noir,
> Tu as sa force. (« Un marteau »)

L'usage de la phrase nominale relève d'une procédure analogue, dans la mesure où elle maintient ouverte une incertitude entre évocation et invocation, parler-de et parler-à :

> L'arbre vécu
> Comme du bois
> Et comme oiseau
> Ne bougeant pas. (« Arbre l'hiver »)

> Cave proscrite,
> Cave lointaine,
> Un peu présente. (« Variations sur un jour d'été)

L'évolution du premier poème du recueil, « Chemin », dont on a déjà dit qu'il était inaugural à plus d'un titre, illustre parfaitement cette émergence du Tu et le rôle de conversion énonciative qu'il revêt. Le paysage initialement offert mêle à la douceur du contact immédiat avec les choses (« Bonnes à toucher ») la persistance d'une question et d'un soupçon inquiet. Au sein de ce rapport qui se cherche — nous sommes dans le registre d'une fiction à la troisième personne — se laisse pourtant déjà pressentir la nature de la parole de désir qui l'établira :

> Une voix
> Peut sortir du bois.

> Peut-être déjà
> Voudrait-elle venir

> Avec son corps.

La reprise en quelque sorte interlocutoire du paysage est confirmée un peu après : aux constats, souhaits ou interrogations se substitue la seconde personne d'un impératif adressé on ne sait à qui, mais adressé cependant (« Cherche au bout du chemin »). Puis c'est l'appel à la pervenche, chargée de prendre le relais de la parole et d'en conforter ainsi le caractère relationnel :

> Pervenche, pervenche,
> Dis-le-lui, prédis-le-lui

> Que, cette fois,
> Ce n'est pas pour qu'on l'écarte.

Il suffirait d'écouter ces appels pour que la voix contenue sorte du bois (comme on dit qu'elle sort d'une bouche), et que la rencontre se fasse en elle :

> Toute la terre en parlant
> Viendrait à lui par le noisetier.

Et de fait, à partir de cet « évènement » — qui est avènement de la parole — la suite et la fin du texte se contentent de témoigner de la « transformation narrative » : le « bien dormir » redécouvert, les « corps trop blancs » qui ont moins froid, le rire et le sourire réappris, la douceur « De l'eau du ruisseau de mai »...

Il n'est sans doute pas indifférent que cette modification décisive du registre de la parole coïncide, au niveau du « récit », avec l'évocation d'une rencontre amoureuse. « Je t'écris », « Elégie » et « En Cause » sont entièrement fondés sur une conjonction semblable, qui nous dit que parler d'amour, c'est parler amoureusement, et donc accentuer la dimension de l'adresse (du désir) dans le langage. Mais, même s'il connaît ainsi une figuration privilégiée, l'ordre du tu ne lui est pas réductible : on en prendra pour preuve que non seulement la seconde personne est utilisée indifféremment pour interpeller des « personnages » ou des « choses » (dans des poèmes distincts ou dans une même suite : ainsi renvoie-t-elle successivement, dans « De ma mort », au ciel, à une femme, à un prunier et à celui qui parle...), mais encore qu'il n'est pas rare de la voir échapper à toute identification pertinente (cf. certains passages de « En Cause », notamment). On ne saurait donc arguer de la référence amoureuse pour traduire en termes de personnification le type de rapport que, dans *Sphère*, Guillevic cherche à établir avec les choses. « Personnalisation » serait plus adéquat — à condition de le prendre à la lettre : accès à la personne grammaticale, c'est-à-dire au couple Je/Tu où, nous a appris Benveniste, chaque terme implique l'autre et n'est pas isolable de lui.

Guillevic, de même, ne conçoit de parole qu'écoutée. C'est en ce sens aussi que se laisse interpréter le soin qu'il apporte à ménager dans ses poèmes l'alternance et la réciprocité du chant et du silence : une autre manière d'écrire le Je/Tu, de fonder ses alliances, et de convoquer ainsi le Sujet :

> Si haut chanté le chant
> Lorsqu'avec nous chantaient
> Les murs et la fenêtre,
> Les brindilles des bois,
> La pierre des rochers,
> Le fer et le sodium,
> L'eau de toutes les sources
> Et l'horizon lui-même,
> (...)
> Si haut fut le silence
> Où le chant s'écoutait
> (...) (« En Cause »)

Ce dont, en fin de compte, témoigne *Sphère* est que le rapport recherché au monde et à autrui ne peut nulle part mieux s'établir que dans la médiation du chant, considéré comme la pointe la plus aiguë de l'exercice de la parole (la plus aiguë mais non la plus austère : voir la partie du recueil qui s'intitule « Chansons »). Cela ne tient pas seulement aux contraintes précédemment évoquées de l'accord et de la mesure, quelque indispensables qu'elles soient par ailleurs pour permettre la contagion du chant. Plus profondément, plus essentiellement et plus substantiellement sans doute, le chant tire sa fonction médiatrice de ce qu'il appelle à une écoute plutôt qu'à une compréhension. Bon à écouter, dirait Guillevic... Et, de fait, paroles et musique y ont une moindre importance que la voix — corps et langage mêlés — de celui qui chante.

Tentation de l'esthétisme ? — Sans doute, et Guillevic s'en est d'abord vivement méfié. Mais si le poète sait suffisamment marquer la nécessité et la place de l'écoute, s'il sait ainsi inscrire le chant dans un rapport de désir et en faire le lieu privilégié de toute relation aux choses et aux « gens du pays », alors il parvient à en faire aussi un moyen d'accéder à lui-même — une forme très belle du cheminement de l'énonciation...

« Il y a le lyrisme qui se complaît à lui-même et le lyrisme, qui force l'issue. (...) Je ne voulais pas chanter, le chant m'a forcé. Je ne m'enchante pas du chant, mais moderato cantabile le chant me rend à moi-même. »

Vivre en poésie, p. 185.

Bruno GELAS

MARIE-CLAIRE BANCQUART

VILLE

Eugène Guillevic est le président de l'Académie Mallarmé, dont je suis l'un des membres. Il a bien voulu que je l'interviewe. Je lui en dis ma grande reconnaissance, et j'incorpore l'interview dans cet article, en typographie différente.

— *Ville* — Ce titre claque dans l'œuvre de Guillevic, non par sa brièveté, qui est habituelle, mais parce qu'il présente, ou invoque, une réalité presque absente du reste de ses recueils. *J'allais contre un lieu commun, trop commun, sur mon œuvre... Mais la vraie raison pour laquelle j'ai écrit, en 1966 et 1967, ce recueil, c'est que mes rapports avec la ville s'étaient subitement aggravés. Je suis né au bord de la mer, j'ai vécu à la campagne, et ne suis venu à Paris qu'à 28 ans, en 1935. Jamais je ne m'y suis fait, mais moins encore lorsque je me suis trouvé libre de mon travail administratif — libre, en somme, de quitter cette ville, qui devenait une obsession.* Ville *est une œuvre thérapeutique.*
Un substantif au singulier. Une désignation non particulière de ville. Rien, dans le cours du recueil, ne situe la ville hors d'une spatialité, d'une temporalité urbaines, certes, mais anonymes. Sauf la mention d'« un square près de la Seine », p. 70, et, p. 114, celle de la manifestation pour les morts de Charonne. Encore est-il bien stipulé que le poète en parle « par exemple ». Sans doute parce que c'est une des manifestations de masse les plus notables que l'on puisse citer durant ces années ? — *Oui. Bien entendu, c'est surtout à Paris que j'ai écrit* Ville ; *mais pas uniquement. En partie aussi en Amérique, notamment à Montréal.*
Ville est donc une affaire entre un espace et un homme.

> J'écris sur toi
> Comme j'écris toujours :
> Pour posséder

La grande question, c'est que l'espace, ici, ne se prête pas directement à la possession du poète. Celui qui lui est cher offre la « matière primitive » comme existence au sens le plus simple, le plus immédiat du terme. Il procède du temps des origines, « avant notre temps » (p. 117), juste à la limite, quand les éléments se sont séparés les uns des autres — à la limite où le poète, démiurge puisqu'il évoque ces éléments, en a « peur » aussi. Peur comme d'une totalité étrange et étrangère, qu'il dompte. « Revenant de la mer, alors / Tu n'es rien pour moi, / Ville en superficie ».

Le travail accompli à la surface urbaine n'est pas ce travail sur la pesanteur immobile et silencieuse des « champs labourés ». On ne sent pas la force de la matière ; on n'a pas envie de s'affirmer en face d'elle, en prenant une motte, un caillou. La ville est « Pas rassemblée sur soi, / Sur rien d'autre non plus ». Elle est cet objet « Que l'on n'a pas envie / De tenir dans la main ».

Elle n'est pas non plus « des origines ». C'est en vain qu'elle s'en flatterait. Le temps qu'on remonte en elle est celui de l'histoire ; il est faussement long ; et corrélativement il a ce très grand défaut d'être temps, donc divisé et diviseur. « Toi qui joues à la vieille, / A celle de toujours, celle des origines, // Tu n'as pas tellement de milliards de secondes / A ton passif-actif ».

Est-ce mépris ? Disons plutôt que c'est une crainte, d'une tout autre nature que celle qui saisit Guillevic devant l'indissociable des éléments. Il lui est moins difficile d'être démiurge, grand dynamisme devant une « materia prima », que de vaincre une perversion dominatrice. La ville est en effet ce qui dissocie, broie, met en morceaux infimes. « Rapports / Entre les dents et la ville // Que les dents peut-être / Servent à la ville // De comparaison, / Voire de modèle ». Elle crée de la « chapelure » de temps, éparpillant heures et journées on ne sait à quoi. Mais on sait bien vers quoi. Elle est notre mort qui avance dès que l'horloge se met en marche, dès que la comparaison avec les autres nous donne un état-civil. Elle est nous, inscrits dans un présent sans cesse détruit, au lieu d'être une attente silencieuse devant la silencieuse attente de la terre.

La ville, césure sans cesse répétée. Deuil de nous. Guillevic la rejette longtemps. Comme *il a toujours rejeté le Nerval d'Aurelia, qui l'angoisse, considérant Baudelaire comme le premier poète de la ville. Se situant, le jour venu d'écrire sur elle, par rapport à Baudelaire. D'autres sans doute ont compté pour lui, mais pas en profondeur : Laforgue, Jules Romains d'Amour* couleur de Paris, *et, parmi les surréalistes, le seul Desnos. En fait, on en revient toujours à Baudelaire.* Le jour venu, celui où la ville est allée le chercher : ce fut malgré lui. On « pouvait s'en passer », elle « venait nous relancer », dit le premier poème. En somme, elle s'est imposée. Elle a dit à Guillevic d'écrire *Ville*.

Ville s'impose à son tour comme un tout. Je me proposais d'abord d'écrire une étude textuelle d'une dizaine de poèmes, opérant ainsi une coupe dans le recueil. C'est impossible. En le faisant, on tuerait le recueil. *Est-ce que c'est chacun de mes poèmes qui est un poème, ou l'ensemble qui est un poème ? J'ai toujours senti cette ambiguïté.* C'est, en tout cas, l'un, et l'autre. Mais il n'y a pas de demi-mesure. Si vous essayez de mettre en articulation deux ou trois poèmes, aussitôt tout *Ville* vient vous « relancer ». Et cette solidarité des parties se marque ici plus fortement que dans d'autres œuvres de Guillevic. Parce qu'il avait affaire à un sujet particulièrement périlleux, et que d'instinct il a réagi en le maîtrisant par le « faire » poétique. De là, sans nul doute, sa référence à Baudelaire. Ce n'est pas tant le poète de la boue, de la prostituée, de l'exil que sa sensibilité a appelé à lui, que le poète de la transmutation, que l'artiste en métamorphose par le verbe. J'écris qu'il a réagi *d'instinct* par le *faire*, parce que *Ville* n'est pas une œuvre volontariste, où l'on sente l'effort : sa construction est à la fois organique et calculée, comme celle par exemple de variations dans la musique. Le sous-titre du recueil dit très bien son unité : *Ville*, poème.

Le premier et le dernier poème se répondent en s'opposant. Ils marquent clairement une durée passée, et le commencement (passé) d'une autre durée. Tous deux sont à l'imparfait, alors que le reste du recueil, lieu de l'évolution du poète et de la ville l'un par rapport à l'autre, emploie toujours le présent de l'indicatif ou du conditionnel. Début de l'évolution — *jadis :* la ville, fleuve et lumière, vient chercher l'homme. Hésitation. Recul. Formules atténuatives : « un peu », « probablement ». Relation biaisante et mal accueillie. Fin de l'évolution — *naguère :* au lieu de formules atténuatives, un violent « il fallait », affirmant la relation entre l'homme devenu ville, avec « les rues de son sang », et la ville devenue sa pareille, avec laquelle il dialogue. La « lueur un peu rouge » du début, extérieure et vague, s'est muée en sang organique. La prise de possession a eu lieu. Entre temps (et c'est le cas de le dire, puisqu'il s'agit de temps qui *mettent à distance* par rapport au présent du lecteur, qui parlent d'états déjà lointains, d'une histoire révolue), une série d'événements, d'invocations, d'états de sensibilité, de constatations, nous donnent à voir au présent le mouvement de l'assimilation de la ville au poète.

Ce mouvement est inscrit dans le recueil. Guillevic a d'abord trouvé dans l'espace urbain comme une série de sinusoïdes horizontaux, sur le sol, et verticaux, vers le ciel. Courbes continues, symétriques, remplacées après vingt-cinq poèmes par la forme plus complexe et plus dynamique de la spirale : « J'ai dit : sinusoïde, / En évoquant la ville // Je dirais aussi bien, / Peut-être mieux : spirale // Dont le point de départ / Ne saurait être fixe / Et les spires non plus // Spirale cependant, puisque la ville cherche / A se réunir, à se rassembler / ... /. On peut constater que ce mouvement en spirale est celui-là même du recueil, qui, partant de plusieurs centres, développe des « spires », en ce sens que les mêmes images sont plusieurs fois reprises avec des variations. Comme à la ville, « il lui faut aussi / Faire le mouvement / Exactement inverse, // En même temps ». Jusqu'à ce point d'assimilation qu'est le dernier poème. Je me propose de décrire quelques-uns des centres de *Ville*, et l'évolution de ses spires. En faisant tout d'abord remarquer que pour Guillevic, il n'y a pas d'abstraction dans la figuration géométrique. *J'aurais voulu être professeur de mathématiques. Ce sont les nécessités de la vie qui m'ont conduit à l'administration. Dans la géométrie, l'algèbre, la chimie, je voyais la matière, je sentais le profond des choses ; j'aimais à « inventer », à partir de ce qu'on nous avait déjà enseigné.*

— A l'espace-temps disséminé de la ville s'oppose très vite la recherche, à l'intérieur d'elle, d'un refuge en forme de ventre, dans lequel les éléments retrouvent une pureté primitive ; le silence y règne, quel que soit le bruit du dehors. C'est la chambre du « Je », qui y retrouve une aisance d'avant l'existence consciente, comme le prouvent les insistants « au creux », « au fond », du poème : « Je me suis assis dans un fauteuil / Au creux d'une chambre, au fond de la ville / ... / Là il y a respect / Et comme la réception d'une eau rajeunie / Filtrée par les années / Où la lumière a attendu / Quelque tendresse de la ville ». Eau matricielle ? Régression affective dans une solitude fœtale ? Mais encore faut-il compter avec la conscience du poète, qui, lui, connaît les « gares, rues, magasins » autour de lui, et sait que la pureté de l'eau vient de la distillation de tout un passé de la ville. Se retirer d'elle, impossible. Il s'analyse comme dedans/dehors ; l'attirance que la ville exerce sur lui, la puissance qu'il souhaite exercer sur elle, le pose dans une attitude ambiguë, d'emblée, fût-il retiré dans son « creux » à lui.

« Je suis seulement / Tangentiel à la ville » est aussitôt corrigé par une relation de désir. Et ce désir n'est pas celui de rentrer dans un ventre protecteur. A l'inverse, il est de pouvoir dominer une présence qui est glissée dans le corps de l'homme et l'obsède : « Je ne suis pas, par conséquent, si tangentiel / Qu'il m'a plu de le dire // Elle est entrée en moi, la ville / Elle est en moi, me ronge, / Me corrompt, me nourrit // Des deux c'est moi qui aime, / Qui ne le voudrais pas // C'est par dépit, sans doute, / Que j'ai parlé ». Dépit amoureux. Jusque dans les « creux » urbains, et surtout en eux, parce qu'ils impliquent la méditation, le retour sur soi, le poète est obligé de s'assimiler le monde. Il ne constitue sa personnalité que par rapport au milieu ambiant. Le « Je » disparaît bientôt au profit d'un pronom neutre et collectif : « Calmement calfeutré / Dans un repli du temps // Douceur des chambres, longs séjours / Où se savoir / Rencoquillé dans le silence // Présence aucune, mais celle / De la présence ». Puis une seconde personne du singulier crée un rapport direct avec le lecteur, sort de la coquille, désigne aussi bien celui qui écrit, la femme son interlocutrice, nous tous : « Dans la ville est ta chambre / Et ta chambre est silence ».

La chambre était retirement, refus. Elle est au contraire reconnaissance de l'autre et communication, à la fin du recueil. *Ville* a peu à peu absorbé, annexé toutes les autres cavités, si antipathiques d'abord, parce qu'elles ne donnaient pas accès à l'élément originel, mais au factice. Une ville n'est pas en travail comme une mère, mais « en travaux » ; un dérisoire macabre se substitue au cycle naturel de la vie et de la mort : « ... Et je te remue et je te rebouche // Comme si l'on venait / Gratouiller ton squelette / Avant qu'il ne s'ennuie ». Mais on revient sur cette impression. C'est celle d'un homme qui ne serait pas *savant du monde* comme un poète. La cave ? Elle ouvre, non pas sur le néant, mais sur la pluralité des significations et des présences. Elle est un microcosme, « frontière, source, goéland, acte, dispersion ». Impossible de la mépriser ou de penser qu'elle ne nous concerne pas. Elle nous assaille d'éléments, au contraire ; et Guillevic, devant elle, se sent comme devant une présence à la fois étrange et trop aimée pour ne pas désirer s'en rendre maître. Démiurge en face du monde, il a besoin, ici, de la médiation féminine pour intégrer à ses propres forces les creux de la ville. A l'image de la mère bafouée par la ville antinaturelle, se substitue celle de l'amoureuse qui induit avec elle, où qu'elle soit, l'expression suprême du monde en harmonie. Elle domine la ville comme une statue imaginaire ? Celui qui la regarde a « envie de pénétrer /

Dans les creux de la ville ». Elle est là, bien présente, dans la ville ? Alors « Le soleil et la lune / Font lit commun, parfois, // Au-dessous des maisons / Ou dans des caves bien fermées ». Encore sont-ce là, si l'on peut ainsi s'exprimer, des images d'importation, des crédits d'univers portés au compte de la ville par le poète. Il n'en est plus de même dans le poème : « Il y a dans la ville / Du souterrain venu / Du temps d'avant la ville // Pour me regarder faire, / Il a trouvé des yeux / Qui passent par tes lèvres ». Car cette fois, il n'y a plus à résister devant des présences que niait fondamentalement Guillevic. Celle de l'élément terre, celle du temps des origines, inscrites dans un temps et un espace qui semblaient antinomiques à elles.

Au passage, ont été englobés dans ce grand mouvement fondateur les jours et heures en « chapelure », capables de prendre un sens, de se lier, lors d'une révolution : « Il y a pourtant des jours où la ville / De chaque seconde / Fait une durée / C'est lorsque la ville /Brûle du passé / Qui la contraignait ». *Je pense toujours à la Révolution française, et plus précisément à la fête de la Fédération, quand j'écris des poèmes comme celui-là... Ce jour où tout le monde se trouve, s'entend, met la main à la pâte... J'en suis resté hanté depuis l'enfance. J'admire d'autres temps révolutionnaires comme la Commune — Mais 89, c'est mon modèle principal.* Plus difficile à intégrer, le temps des bureaux, qui joue un rôle dans *Ville*, parce que les bureaux font la capitale. Dans de petites ou moyennes agglomérations, les hommes se rencontrent plus personnellement ; la grande ville aspire au contraire sa population dans des « hors-lieux » où l'on remplace la durée par la date, par la « rédaction / De l'histoire en cours ». Même cette répulsion a été réduite, parce que Guillevic a fini par discerner dans la foule courant à la tâche un imaginaire semblable au sien : « dans les gens d'ici, / Prétendument fourmis, // Ça rêve bougrement », et par doter la ville de ce pouvoir nocturne qui lui était si radicalement étranger au début du recueil. « Du noir qui ne s'habitue pas », tel était le ciel contre la ville illuminée ; maintenant, la ville proclame : « Je suis une source de nuit ». Riche de virtualité, de fermentation, l'ancienne ennemie est devenue inspiratrice. Car il ne s'agit pas ici de la nuit indéterminée, mais de la nuit dynamique, qui « sourd », et va éclater en manifestations vitales.

Mouvements en spirale, oui : creux accepté de la chambre, rejeté de la ville ; creux ouvert de la chambre, creux accepté, puis désiré, de la ville ; ville grande chambre nocturne, grande terre nocturne. Temps en morceaux, temps en spasme ; temps devenu lisse et rêveur pour tous. L'apprivoisement à la ville passe aussi par des rejets, rappels, acceptations, des reprises d'images enrichies et de sens modifié. Ainsi le recours à la nature, pour adoucir un farouche abord urbain. Les atomes des corps et des choses font « un bruit de pétale ». La ville « ressemblerait / A du lilas pas bien valide ». Mais Guillevic évoque-t-il les couples qu'elle abrite, elle acquiert tout aussitôt de la santé en devenant un fruit à noyau, pulpe et peau pris en charge par les amants. *Ce qui m'a toujours retenu de la refuser, dans mes pires difficultés avec la ville, c'est de savoir qu'elle contient toujours un couple en train de faire l'amour.* Ainsi rédimée, la ville peut se transformer le soir en « tribu de bruyère en exaltation ». Son décentrement était source de dispersion intérieure. Maintenant les bras qu'elle pousse hors de sa périphérie sont comparés à « du marcottage / A la manière des fraisiers ». De telles images se font rares après le premier tiers du recueil. On trouve un poème de *constatation* sur les arbres que contient la ville (« pas de chênes », regret d'une fragilité), mais plus de tentative pour tirer la ville vers ce qui n'est pas elle. *Je n'aurais pas publié, autrement, un recueil intitulé* Ville. *Je tiens ici à la particularité urbaine ; c'est elle que je veux vaincre. C'est pourquoi je ne me suis nullement inspiré de Léon-Paul Fargue par exemple, quelque estime que j'aie pour lui. Il m'a toujours semblé en effet que Fargue superposait un village à Paris. Démarche qui, évidemment, « supprime » Paris.*

Mais l'évocation qui demeure, introduite par celle des plantes, est l'évocation des « tourbillons en chaîne » des corps, des lieux. Elle se modifie rapidement et devient celle de « machine lubrifiée ». Elle sort de l'intérieur des corps ; voici les « transistors », les « ordinateurs », les « rouages » qui tournent « à tous les endroits, à tous les étages, / Dans cette ville ». La position de Guillevic est ambiguë à l'endroit de la machine. *J'aime la mécanique. Je tripote volontiers des moteurs. Ils m'intéressent et me fascinent. Tout ce qui relève de l'informatique, en revanche, m'inquiète. Peut-être parce que je ne m'y suis pas habitué assez tôt. Peut-être parce qu'il y a dans ces machines-là un potentiel de pensée dont on ne sait vers quoi il tournera.* Une très grande mécanique, dévoratrice d'hommes, ce serait tout de même à faire peur. Du moins pour un jeune campagnard abordant la ville. Humour de Guillevic. Peut-être sa crainte devant « le bruit, terrifiant alors, / Des chasses d'eau », son premier souvenir urbain, est-elle comparable à sa crainte actuelle devant le moteur atomique, tandis qu'il s'est bien habitué aux « coups répétés » du moteur à quatre temps, nommé avec le sourire « cycle beau de Rochas ». Sourire ; finalement question restée ouverte, mais qui n'est pas obsédante : elle ne prend en aucun cas l'allure d'une angoisse. Guillevic sait que les conduites d'eau rappellent le primordial chemin du silence, et que les pierres et les objets absorbent les « courants nouveaux : / Radio, télévision, rayons X », parce qu'ils en ont vu bien d'autres. Ils sentent des « frissons plus forts », venus des hommes. Une analogie existe entre l'électron et nous. Nous « commençons à sentir / Passer en nous » ces forces-là. Elles introduisent à des poèmes sur la force de la ville.

Organisme unissant les machines et les individus, être semblable à nous, la ville du début, tellement étrangère, est intégrée. S'il existait un impersonnel en français, Guillevic l'aurait d'abord utilisé quand il en parle. On (c'est « on », c'est « nous », ce n'est pas « Je ») en perçoit des qualifications (bruyante, lumineuse), mais non l'être central. Peu à peu, au douzième, au treizième poème du recueil, juste avant de poser son « Je » au creux d'une chambre, il sent la ville comme une espèce de caillot. Une intimité : alors, il la compare à l'hémoglobine, et il l'apostrophe : « Toi ». Mais elle retombe dans l'« imprécis » : « ça fulgure » en elle, elle « se cherche », on y distingue une sorte de bric-à-brac d'hommes, d'objets, de machines... « Toi » revient par intervalles, quand Guillevic évoque les amants, les fraisiers... Enfin naît l'image de la spirale. Désormais la vie passe, et le « tu », qui n'est pas toujours de bonne amitié. Mais enfin, elle parle même parfois, la ville, à la première personne : « Je ne délivre pas, dit-elle, / Je suis au fait ». Et Guillevic, en pleine hésitation et hargne sur elle, sait bien comment il la prendrait : « Il me faut t'investir / Ce qui te fera femme ». Trente poèmes plus loin, le sexe est donné à la ville, par une femme élue et aimée parmi les autres. En alternance, le « tu » s'adresse désormais tantôt à elle, tantôt à la ville. C'est par elle que naît la communion. Le terme n'est pas trop fort : la femme « officie », les amants « béniront » la ville, dans laquelle des « tabernacles » contiennent l'image de la femme. Elle est donc à la fois prêtre et hostie. Elle réunit dans la ville, et par conséquent la ville réunit, l'offrande et la réception de la prière. La réconciliation a lieu.

Mais le recueil ne se termine pas ici. L'image de la femme s'efface. Elle a été l'intercesseur. Le poète demeure seul en face de la ville, ce « Je » qui se parle à lui-même en se tutoyant (« Va ! continue / Ce chant de flûte, mais c'est qui ? ») ou qui s'étend à tous en se désignant par « Cet homme ». Et il découvre l'identité de son être et de l'être de la ville, faite par les hommes, parcourue d'un bruit semblable à celui du sang dans les vaisseaux de notre corps. Elle n'est plus « coagulée, coagulante ». Elle est habitée de circulation. Un unanimisme ? Mais bien différent de celui de Jules Romains, dont Guillevic a beaucoup aimé *Amour couleur de Paris*, on voit bien pourquoi. La combinaison des éléments, chez lui, n'est pas la même. Le dialogue ne s'instaure pas d'emblée entre lui et le groupe. Il y faut un travail de maturation : le passage de la relation à la mère, régressive et narcissique, à la relation à la femme ; puis l'homme « fait » peut se prendre en charge en même temps que la ville. Et même, car Eros et Anteros sont jumeaux, supporter la mort qu'ils contiennent tous deux. D'abord, elle était hideuse, et rejetée avec les saletés urbaines : « Les suintements, les détritus / Les catafalques, les polices ». A la fin, le poète ose poser la question : « Irons-nous essayer / Les cimetières de la ville ? // Pour nous poser ? ». Pareille confrontation avec la mort est obsédante chez Guillevic. *Pour moi, la ville a une connotation mortuaire. J'ai peur. Mais je sais aussi que c'est ma question. J'aime me promener dans certains cimetières : par exemple, le petit qui se trouve rue du Télégraphe, au point le plus élevé de Paris. Il m'émeut.* Ce recueil *Ville*, prise de possession de la réalité urbaine, comme Guillevic a eu raison de le qualifier de « thérapeutique » ! Il retrace, dans son évolution, un des nombreux passages à l'âge adulte que nous devons affronter, quel que soit notre âge d'adulte. Posséder la ville, c'est, à un moment conflictuel, arriver à se posséder. *Je me suis aperçu que j'en avais besoin. La preuve, c'est que rien à présent ne m'empêcherait de vivre à la campagne. Mais je n'arrive pas à partir. Je suis moins solitaire que j'avais cru. J'ai besoin de rapports humains avec des gens qu'on trouve dans les villes, des intellectuels, des écrivains.*

Des écrivains. Oui. C'est en écrivain qu'il la possède, la ville. Spirales, jeu des pronoms, jeu des temps. Et ceci, qui est constant chez lui : la langue est un état de l'être, l'état même qu'un poète peut détecter, interroger, voire transformer. Au début du recueil, la ville n'est qu'adjectifs : « Guère autre chose qu'une lueur / Où sont brodés des adjectifs : // Tourbillonnante, gigantesque, tentaculaire, / Des adjectifs // Qui, comme d'habitude, / Ont l'air d'accueillir / Et qui vous diluent ». Ces « adjectifs » les bien nommés sont très peu nombreux dans les poèmes où la ville a conquis son pronom : elle est pleine de choses dont le poète caresse « Les noms / Qu'elles tremblent de perdre », mais qui, peu à peu, au contraire, s'attachent plus solidement à elles. Jusqu'à ce que la collection, le bric-à-brac, devienne vivant dans un « tissu syntaxique ».

Devant ce langage en formation, l'attitude du poète déchiffreur a varié en conséquence. Il est passé du « La ville est comme un mot / Que je ne connais pas » à la proclamation : « Toi, / Tu dois être aussi / De la lecture ». Mais sans oublier que c'est lui qui transcrit cette lecture, et qui, du même coup, *invente* la ville. Il y a là une intimité de possession bien plus grande que l'intimité psychologique. *La poésie, pour moi, c'est essentiellement le moyen d'entrer dans un autre espace. Je me dis que notre monde n'est pas à trois dimensions, mais à quatre. J'en suis sûr. Mais voilà, cette quatrième dimension, nous ne savons pas quelle elle est. Je la place dans l'immanence, pas dans la transcendance, que je refuse. J'essaie de dire en poésie la sensation que j'en ai.* Acte de possesseur : « Nous sommes dans un espace / A trois dimensions, // Où quelquefois la ville / Est frôlée par la quatrième, probablement //... Peut-être alors / Vient-elle en nous, tout simplement, // Nous qui avons à l'intérieur / Plus de trois dimensions ». Le travail du poète, véritable travail de démiurge, est de nous donner par la langue ce *surplus fondamental* qui nous échapperait : « J'écris pour ajouter / Au monde quelque chose // Qui l'augmente et le force / A se voir maintenant ». Ecriture, chose parmi les choses ? Oui, parce qu'elle est pour Guillevic très sensuelle, matérielle. Mais chose plus que les choses. L'exerçant, le poète recrée une distance avec la ville, parce qu'il fixe celle-ci dans un ailleurs et dans un avenir. L'ayant lue, il la dit telle qu'elle est. Mais son écriture la transforme par là même. Guillevic en est très conscient. C'est la raison pour laquelle il emploie le langage comme *« un timide orgueilleux »*. Il y entre avec des conditionnels, des « peut-être », des « comme ». Ces tournures atténuatives, il leur donne exprès leur nom de rhétorique : *des litotes, parce que j'ai toujours peur de ne pas assez connaître la langue.* Mais pour mieux affirmer, agripper, « augmenter » ce qui existe : « Il y a » — « Voici ». Il nous montre un lieu dont il sait que toutes les descriptions ne le feront pas voir. Il n'est pas « montreur d'ours ». Mais il est transmutateur. Ici nous retrouvons son amour pour Baudelaire. Ici nous retrouvons la chambre, l'en-dedans / en dehors dans lequel on possède. C'est peut-être cette chambre-là, celle de l'adulte, de l'amoureux, du *poète*, que Guillevic évoque dans ce poème inédit, d'un recueil qui se serait intitulé *Urbaines*, et qu'il a finalement rejeté :

Ce qu'il demandait
Aujourd'hui à la ville,
C'était simplement

De pouvoir s'allonger en elle
Mais comme en dehors d'elle

Au centre d'un silence
Doté d'un lit.

Marie-Claire BANCQUART

PHILIPPE LEGRAND

AUTRE ÉVENTAIL
DE MONSIEUR GUILLEVIC

Pour savoir ce qui a changé avec *Du Domaine* il faut comprendre toute l'ambiguïté de la percée que le poète a opérée dans la « paroi », qui lui permet simultanément d'accéder au domaine de l'Autre, de s'ouvrir à l'inconnu, au « vent des poitrines de laine », tout en se retranchant fermement sur ses propres traces. Déjà se dessine ici une dialectique savante, un jeu de mouvements contradictoires, d'avancées simulées et de reculs stratégiques où l'on peut percevoir les éléments d'une communication difficiles à concilier, tant l'ouverture du domaine guillevicien ne pose en fait que l'imminence de la clôture, entrebâillement discret et provocateur, où l'Autre se fera prendre.

En effet, après que le poète soit resté des années à définir, par rapport à son propre territoire, ce que pouvait être l'autre côté de la paroi (y consacrant plusieurs livres), à frapper, sonder, creuser, toucher, longer ce mur austère et froid qui exacerbait chez lui le sentiment d'une extériorité du monde et, d'une certaine façon, de sa douloureuse exclusion, *Du Domaine* atteste de la rencontre avec l'Autre qui s'apprête à un premier pas sur le sol guillevicien. Cette fois est établie la « trouée » mettant aux prises les deux parties et l'Autre, tant appelé, tant souhaité, se trouve à présent à portée. Il est au seuil du domaine, prêt à y pénétrer, prêt à tenter un premier geste pour s'aventurer (non sans risque, d'ailleurs) sur cette étendue accessible mais protégée, n'attend qu'un mot pour s'avancer. Autant dire que bien des choses ont évolué depuis les précédents recueils : l'Autre est maintenant là, pour ainsi dire visible et au contact du domaine, alors qu'il n'était qu'annoncé de manière insolite et vague dans *Etier*, dernier titre avant *Du Domaine* :

Ça frappe
J'entends qu'on frappe
Disons : ça frappe

Ne sait pas quoi,
Pas où, pas qui.

Ça frappe, ça frapouille,
Ça cogne, ça tapouille,

Et ça fait comme un bruit
Dans l'espace en vacances.

Je ne sais pas pourquoi
Ça cogne, mais j'écoute.
Etier, p. 45.

Ainsi constate-t-on que depuis longtemps, l'Autre avait manifesté le désir de pénétrer dans le domaine, attentif au moindre souffle ou cri de « l'outre pierraille », et n'avait pour cela manqué de solliciter un droit d'entrée que le régisseur du lieu tardait à lui accorder. A présent seulement semblent réunies les conditions pour que s'ouvrent les portes du domaine et laisser entrer l'ami inconnu.

Or il convient de s'interroger avec plus de rigueur sur l'identité véritable de cet Autre, tel que nous le voyons apparaître au fil du poème et s'introduire dans les lieux aux côtés du poète. Nul doute à ce sujet que cet Autre n'est ici que l'appellation par un terme pratique de ce et ceux qui jouent et se jouent, gravitent au plus loin comme au plus près du poème, sans y être étrangers pour autant. En d'autres temps, Guillevic l'avait nommé d'une périphrase peut-être plus explicite, lorsqu'il écrivait dans *Avec* :

S'il y avait un lieu
Qui s'ouvrirait enfin
A celui qui s'avance

Pour voir ce qui se joue
Dans le dernier à-pic.
Avec, p. 196

Mais celui qui hier s'avançait, aujourd'hui piétine et cogne aux portes du domaine, comme parvenu au terme provisoire de sa marche et ne pouvant aller plus loin. Il est donc urgent que soit identifié au plus vite celui que le poème s'apprête à accueillir et mettre en scène.

Nous pensons pour notre part, qu'il n'est guère envisageable de dissocier fondamentalement cet Autre du lecteur qui entreprend pour la première fois une lecture du poème et ouvre le livre à la première page.

Nous défendons la thèse non d'une « superposition » de l'Autre et du lecteur que nous chercherions à confondre par commodité, mais la rigoureuse unicité de ce même « personnage », ayant pu apparaître différemment en d'autres circonstances. L'Autre n'est pas que cet étranger vague et lointain, « invité » par Guillevic à pénétrer et à s'installer dans le domaine. Il est avant tout ce lecteur, s'aventurant dans le livre, et cherchant à se frayer sous la tutelle du narrateur un chemin parmi cette multitude de quanta répartis tout au long avec régularité. Ainsi, le parcours de l'Autre est-il tout d'abord un parcours de lecture autour d'un certain nombre de mots destinés à retenir son attention.

Notre remarque se fonde essentiellement sur un jeu des personnes et un emploi des pronoms personnels qui semblent nous autoriser à considérer *Du Domaine* comme un long et parfois elliptique dialogue entre un « je » régisseur qui parle et raconte (il y a bien dans ce poème la trame d'un véritable récit) et un « tu » (ou « vous » de politesse) qui ne sait pas, n'est pas encore apte à comprendre, mais demande à être instruit.

Le poème commence, en effet, par la prise de parole d'un narrateur qui s'apprête à énoncer un certain nombre de mots organisés sous forme de quanta à caractère informatif et « notatif » (comme le souligne J.-M. Gleize qui les rapprochait en cela du haïku japonais) sur un « domaine » dont il se dit « régisseur ». Le message, quelle que soit la quantité d'informations dont il est porteur, et aurait-il été défini « à la limite du sens, où le sens n'a pas le temps de "prendre" (1) », s'adresse à un lecteur potentiel (le message étant en code écrit), présent ou en tous cas requis dès le début de l'« émission ». « Avancez ! Avancez ! » lui est-il demandé dès le quatrième quantum. Mais aussitôt se pose la question de savoir où l'Autre va pouvoir « prendre pied », compte tenu que : « Les allées ne sont pas / fatalement tracées. » (p. 8) et que : « Le cadastre / Est oublié. » (p. 9).

Habile manière de dire au lecteur qu'il ne lui est pas possible d'aborder seul ce domaine sans repères fiables et qu'il est de son intérêt de suivre les traces du régisseur (à condition de poursuivre son effort de lecture), seule attitude raisonnable qui lui permettra d'éviter les pièges nombreux de ce domaine labyrinthique et d'en

---

(1) Jean-Marie Gleize. « Guillevic, lettre, l'étang ». *Littérature*, n° 35, octobre 1979.

percer le secret. C'est donc le « je », régisseur, qui prend en charge la lecture et l'écriture, ouvre la marche et va s'adresser, tout au long du poème à ce lecteur audacieux qui a bien voulu le suivre.

Dans le cas présent, il n'est pas tant demandé au lecteur de faire preuve de férocité, comme le requérait Lautréamont au début des *Chants de Maldoror* : « Plût au ciel que le lecteur, enhardi et devenu momentanément féroce comme ce qu'il lit, trouve, sans désorienter, son chemin abrupt et sauvage, à travers les marécages désolés de ces pages sombres et pleines de poison » que d'une certaine abnégation dans le sens d'une disponibilité à se laisser conduire et à se soumettre. Il n'est pas question ici d'aborder une étude comparative des premières pages des *Chants de Maldoror* et de *Du Domaine* qui, au sens strict, ne se ressemblent pas et qu'il serait vain de forcer. Mais, il est dans les deux cas, une mise en place du lecteur dans le livre par interpellation directe dont il peut être intéressant d'analyser ce que Michel Charles a appelé la « rhétorique » qui « Loin de faire obstacle au plaisir de lire, le permet. Elle le permet doublement : dans la mesure où elle présuppose que le livre transforme son lecteur et dans la mesure où elle règle cette transformation. » (2) Peut-on dire effectivement qu'il y a dans *Du Domaine* une véritable transformation du lecteur ? Nous le pensons et il suffit de lire les premiers quanta du poème pour s'en convaincre.

Souvenons-nous que dans ses recueils précédents, Guillevic avait insisté sur la profonde nécessité qu'il y avait pour chacun de « prendre pied » dans le monde et d'établir des coordonnées que les figures de la géométrie euclidienne pouvaient aider à fixer. Pour quiconque lisait Guillevic au fil de ses publications, revenait comme une obsession ce besoin d'établir un contact avec le réel, et *Sphère* par exemple, s'ouvre sur un chemin campagnard dont rien n'est omis des pierres qui le bordent, des arbres, fleurs, oiseaux et bêtes, de l'étang et d'« une vieille maison dans son peu de lumière » (*Sphère*, p. 13).

Or, *Du Domaine* semble ne relever, à cause de ce cadastre oublié et de ses allées sans trace, de tous ces chemins qui « ne sont pas lisibles » (*Du Domaine*, p. 90) et du fait qu'« on ne sait pas toujours / Où est la surface » (*Du Domaine*, p. 26) d'aucune géométrie connue qui puisse aider le lecteur à s'aventurer. Plus encore, ces éclats de poèmes autonomes dont Guillevic dit que dans *Du Domaine* ils sont « tellement courts qu'[il] les [a] baptisés

(2) Michel Charles. *Rhétorique de la lecture*. Seuil, 1977, p. 25.

quanta, par référence à la théorie de Max Planck. Le poème n'est-il pas une forme de l'énergie ? Energie destinée à atteindre le lecteur, et le résultat sera... imprévisible » (*Vivre en poésie*, p. 170), ces éclats de poèmes ont bien pour objet d'atteindre le lecteur, d'exercer sur lui une force, une pression destinée à le déstabiliser et donc à modifier sensiblement son comportement vis-à-vis du livre. Il est difficile, en effet, de créer un sens général du poème à partir de ces cellules autonomes et équivoques qui nous disent autant la discontinuité de l'écriture que l'impossibilité de lire « un » domaine de Guillevic ; comme il est peu commode de subir cette violence de Guillevic qui consiste (nous reprenons ici une expression de Michel Charles) à lire « à la place du lecteur ».

L'Autre, appelé au quatrième quantum, repoussé au sixième, montré du doigt au onzième (N'attendez pas / Que vienne la dame / A quelque fenêtre), est attaqué dans l'acte même de sa lecture en même temps qu'il se débat avec une page hostilement blanche et sans prise. Ainsi, pouvons-nous penser que ce début de *Du Domaine* constitue une sorte de test destiné à sélectionner les lecteurs avant même qu'ils se soient engagés plus avant dans leur entreprise. Il s'agit bien d'une rhétorique au sens où l'entendait Michel Charles, c'est-à-dire : « un montage destiné à définir une situation de lecture particulière dans laquelle est fondée, en quelque sorte, la catégorie de l'illisible, par l'abolition de la distinction entre lire et être lu. » (3).

Faudrait-il alors pousser le véritable début du poème au quantum n° 7 :

> Dans le domaine
> Que je régis,
>
> Le cadastre
> Est oublié (p. 9)

en considérant les six premiers comme parcours commun de ceux qui vont poursuivre la lecture et de ceux qui vont l'interrompre ? Est-il permis de tenir ce parcours pour un « avertissement au lecteur », sorte de prolégomènes à l'intention des imprudents ayant ouvert le livre sans prendre garde ? Cette interprétation renforcerait l'idée d'un domaine dont l'accès se « mérite » car là encore « Voir le dedans des choses / Ne nous est pas donné. » et ne persisterait que le lecteur qui s'est trouvé « indispensable ». Elle demeure envisageable.

(3) Michel Charles. *Rhétorique de la lecture*, p. 31.

Mais cela ne serait rien dire si nous ne nous interrogions pas plus attentivement sur ces étranges quanta. Ils sont certainement l'apport le plus important de Guillevic à la poésie moderne parce qu'ils appellent une nouvelle pratique du poème comme une nouvelle conception du livre. On se souvient de l'importance que J.-P. Richard avait accordée dans *L'univers imaginaire de Mallarmé* à cet « élément neuf, et riche de possibilités architecturales : le feuillet » (p. 567), qui avait permis à Mallarmé de redéfinir un nouveau « dynamisme de l'éparpillement et de la clôture qui définit, nous le savons, le rêve mallarméen du livre » (p. 567). Grâce aux feuillets, le livre devenait un espace ludique total, d'une mobilité déroutante où le travail de composition et d'organisation prenait un sens et une amplitude nouvelle. L'idée du feuillet, absolument contraire à toute clôture définitive du livre, puisqu'elle autorise toutes les permutations, tous les bouleversements et tous les caprices, métamorphosait le comportement et la nature même de l'écrivant qui devenait le point central d'une ouverture sur l'infini du langage et l'horizon du livre. Les trois petits classeurs que Guillevic « monta » à partir de la maquette initiale sur laquelle il avait rédigé son poème, participent de ce même état d'esprit. Rappelons les propos de Guillevic à ce sujet : « Lorsque le poème est en bonne voie, je le copie sur des feuillets de papier quadrillé que je range dans des chemises à tirettes. Je peux ainsi inverser, invertir l'ordre des poèmes. » (*Vivre en poésie*, p. 181). En l'occurrence, ce que Guillevic appelle « poème » pour *Du Domaine*, est à la fois le livre entier, qui porte en page de couverture, sous le titre, l'inscription « poème », mais surtout chacun des 406 quanta qui le constituent. Le poème est donc lui-même le lieu d'autres poèmes qui ne s'écriront pas ailleurs mais s'inscrivent au présent dans l'espace intérieur d'un livre qui ne parvient pas à se clore. Le jeu à partir des feuillets qui ébranlait la structure trop figée du livre, se double dans le cas présent d'un jeu sur le feuillet qui, seul, pouvait remettre en cause l'hermétisme du poème.

En prenant en charge la régie du livre, le poète organise cette sorte de « danse » des quanta qui se créent et disparaissent, passent ou restent mais jamais ne se figent en un seul livre. L'idée de circularité du domaine ne peut provenir que de cet étourdissant tourbillon des « pièces » sur elles-mêmes, des quanta sur eux-mêmes, du livre sur lui-même dans lequel se trouve entraîné le lecteur.

Ainsi, bien que les clôtures du domaine soient visibles (« Le rôle de sentinelle / est confié aux arbres » (p. 7) et autour du domaine il y a « des murs » (p. 25),) le lecteur se trouve-t-il irrésistiblement aspiré par le texte. C'est en cela que le domaine, comme le disait Marcel Cohen, est un « piège ». Il repousse pour mieux attirer, il attire pour mieux attraper. Véritables coups d'éventail que l'on distribue largement à l'œil hagard du lecteur, pris au jeu d'un secret bientôt dévoilé par allusion au mystère du dedans.

Alors :

> On n'entre pas
> Dans le domaine.
>
> C'est lui
> Qui vient. (p. 27)

Une fois pris à ce piège du domaine, le lecteur se trouve donc en face d'une étendue, apparemment morne et paisible au premier abord car « Sous la caresse du regard / L'étendue / Ne se rebiffe pas. » (p. 98). Il est invité à s'avancer plus encore. En effet : « Tout / Dit : pénétrer. » (p. 85). Toutefois, même s'il lui est dit que « Les nuages ont du respect pour l'étendue. » (p. 29) il devra prendre garde, et faire preuve d'une grande vigilance, compte tenu que le domaine est aussi « Une étendue d'herbe / Où ne pas se fier. » (p. 78).

Cependant, le lecteur, malgré sa défiance, est obligé de « faire confiance » à la parole du narrateur qui se présente comme unique recours pour réaliser sans se perdre cette longue traversée. Chacun des quanta, chaque mot du poète devrait lui permettre d'établir des repères : Guillevic est alors, au sens étymologique du terme, un « traducteur », celui qui fait passer.

Si cette lecture du domaine ne peut être assimilée à une descente aux enfers, elle ressemble malgré tout beaucoup pour l'Autre à un exil, loin de ce qu'il connaît. Pénétrera-t-il dans le domaine, qu'il restera l'étranger et l'étendue ne sera qu'une infinie et dangereuse terre d'exil. Bien qu'il lui soit dit que ce domaine n'a

> Rien à voir
> Avec l'exil.
>
> On est chez nous. (p. 36)

il sait qu' « Il n'y a pas d'ailleurs / Où guérir d'ici. » (p. 39) que « L'horizon / Nous condamne au cercle ». (p. 69). Il n'est d'autre solution pour lui que d'avancer, alors que s'estompent les chances d'aboutir au terme, que l'issue se masque et se dérobe toujours et qu'il lui semble avancer à son tour dans du noir. Cette sensation tient pour beaucoup à l'abondance des formes négatives et litotes où se perd toute définition ou « figuration » possible du lieu. Le début du texte en est comme surchargé. Dans ce domaine :

On ne parle pas du vent (p. 7)

Les grenouilles
Ne sont pas indispensables.

Les allées ne sont pas
Fatalement tracées. (p. 8)

Les buissons
Ne se plaignent (p. 9)

Rien ne caracole. (p. 11)

Le soleil
Ne couche pas ici. (p. 12)

La source
N'écoute pas le vent. (p. 14)

Les frontières

Ne sont pas assez marquées
Pour qu'elles soient franchies
Impunément. (p. 15)

L'Autre connaît donc ce que le domaine n'est pas avant de découvrir ce qu'il est. Cette étendue ne se prête qu'à une description en creux où chaque « élément », semble avoir du mal à se poser positivement. Claude Prévost, qui écrivait que « Ce monde est un univers solide, pesamment ancré, lié à la terre » (4) brûle peut-être les étapes. Pour le lecteur, rien n'est si sûr et installé en ce début de poème.

Le domaine
Est peut-être un rêve

Qui a trouvé
Son territoire. (p. 26)

Alors, comme si son existence s'arrêtait au seuil de la vie consciente et se dérobait systématiquement au langage, peut-être ne pouvons-nous le saisir qu'à travers une sorte « d'absence » qui est peut-être « l'absence d'œuvre ». N'est-ce point pour cette raison que Guillevic écrit : « Nous sommes tous d'ici. / Nous semblons tous / Venir d'ailleurs. »

Et ne pourrait-il reprendre à l'intention du domaine ce qu'il disait de la paroi ?

(4) Claude Prévost. « Attention aux serpents ». *France Nouvelle*. n° 169, 10 avril 1978, p. 38.

Paroi qui n'est peut-être faite
Que de l'absence
De réponse aux questions.

Alors, entrer
Dans une absence?
Paroi p. 23

Il est toutefois une absence signalée par le poème qui mérite de retenir notre attention, tant par la brièveté de son évocation que par la gravité de l'allusion qu'elle sous-entend. Au premier quantum de la page 115, il est dit, en effet: «La rosée / Me succédera.» qui nous renvoie sans conteste à un temps à venir du domaine, temps de la rosée où le poète ne sera plus là. Cette absence à venir, si furtivement notée, avec cette discrétion si particulière qui situe immédiatement le poète comme «en retrait» de son propre texte et de sa propre écriture, ne peut manquer de nous intriguer quand on sait que le régisseur a conduit l'Autre avec résolution aux points essentiels du domaine (étang, pierres, murs, feuilles...). Faut-il alors interpréter *Du Domaine* comme une passation de pouvoirs que Guillevic opère, sans solennités particulières, avec beaucoup d'affection et un peu de rudesse pour le ou les successeurs du domaine? Le poème serait alors, en quelque sorte, le dernier tour du régisseur avant sa cessation de fonction, le dernier parcours de cette zone avec l'Autre qu'il va falloir initier aux rites, aux mythes, aux formes, aux structures, aux rythmes et souffles, langages et réseaux domaniaux. Il ne suffirait d'ailleurs pas de montrer, d'énumérer pour lui des animaux, des plantes, des objets, encore faudrait-il lui apprendre à voir et à toucher, à sentir comme à savoir laisser de côté.

Il nous est alors permis de mieux comprendre les quelques verbes donnés au futur dans le poème, employés pour évoquer un temps où la narration du récit sera assurée par d'autres qui devront se «débrouiller» avec ce domaine qui, à leur tour, leur sera désormais imposé. Ainsi par exemple les quanta des pages 24, 46, 74.

Les comptes,

C'est à la tourterelle
Qu'il faudra les rendre.

On te dira
Qu'il ne fallait pas
Faire de ton mieux.

120

puis

> On t'accompagnera
> Si tu trouves ta route.
>
> Elle te demandera
> Si tu sais son heure.

enfin

> On ne manquera pas
> De t'aimer
>
> Puisque le lierre
> Est ton pays.
>
> Arriveras-tu
> A jeter le poids
>
> Qui t'enfoncerait
> Dans les catacombes ?

Pas un instant ne seront dissimulées les « exigences » à satisfaire, les responsabilités et initiatives à prendre, l'ampleur de la tâche restant à accomplir, les qualités qu'elle requiert, le découragement qu'elle provoque parfois et qu'il faut savoir surmonter. Nous verrons même le poète lancer une plainte (où perce certainement une pointe d'amertume) à l'égard de l'Autre, comme pris au « piège » du domaine, devant désormais s'y consacrer totalement et pour qui il est déjà trop tard pour partir ou renoncer. Il lui dit, ne voulant mésestimer le « sacrifice » :

> A quoi
> Ne t'es-tu pas donné ?
>
> Et c'est toujours
> A recommencer. (p. 124)

Ce recommencement perpétuel donne d'ailleurs l'idée du mouvement profond du domaine, de son déplacement dans le temps vers un objectif non défini encore, mais où le rôle du régisseur, enfin, deviendrait inutile et sa présence superflue. En attendant ce jour, le régisseur se doit d'être là, présent, vigilant, actif pour conduire le domaine vers cet épanouissement, ce qui dans *Inclus* s'appelait l'Apothéose. Ne restait plus alors qu'à formuler la « devise » du *Domaine* qui en assurait la clôture et représente l'article I du Code Domanial : « Ceux qui renoncent / Ne sont pas admis. » (p. 37) Poursuivant son chemin, poursuivant sa lecture, l'Autre s'enfonce chaque seconde un peu plus dans la prise de pouvoir du poème et du domaine. J.-M. Gleize avait donc parfaitement raison de souligner que « *Du domaine* est un » « Du poème ; « (...)

la métaphore implique que « Guillevic pense la superposition des deux plans. » (5)

Quoi qu'il en soit, il est indispensable que l'Autre se prononce, se situe, dise au plus vite qui il est et quelles sont ses véritables intentions dans le domaine. Il n'est, en effet, guère possible de préserver ici une position équivoque et il convient de savoir répondre sans ambiguïté à la première d'entre les questions :

> L'ouverture :
>
> Avec toi,
> Sans toi,
> Contre toi ? (p. 44)

Qu'on ne s'imagine pourtant pas qu'il n'est ici question que de bonne volonté. Il est surtout demandé à l'Autre de faire la preuve tout à la fois de son dévouement (sacrifice) et de ses compétences. S'intégrer progressivement au domaine, poursuivre sa marche à travers les réseaux, demande à ce que soient prises un certain nombre de responsabilités et que l'Autre cesse d'être un spectateur naïf ou sans volonté. Il lui faudra, d'ailleurs, savoir répondre à la seconde question qui demande cette fois un véritable engagement dans le domaine, une véritable aptitude à « régir », et pour cela se sentir de connivence avec tous :

> Arriveras-tu
> A jeter le poids
>
> Qui t'enfoncerait
> Dans les catacombes ?
>
> Montre tes mains. (p. 74)

Là encore, la question est d'importance, tant il est de fait que chacun s'emploie à « jeter ce poids » (jusqu'aux murs qui ... aussi / Lestent le temps.) (p. 57) et souhaite établir l'espace d'une durée pour y suivre son temps. Trouver cette durée revient certainement à trouver des coordonnées où le tracé du dessin correspondra à celui « Des routes / Pour le passage du temps. » (p. 86)

Jeter le poids qui enfonce, c'est pour J.-M. Gleize construire le domaine, c'est-à-dire se mettre à l'écoute de celui-ci et creuser, dans le silence qui le submerge, pour l'entendre gronder. Connaître le domaine commande que l'on sache se conduire et

(5) Jean-Marie Gleize. « Guillevic, lettre, l'étang ». *Littérature*, n° 35, octobre 1979, p. 76.

prendre ses repères dans ce silence qui engloutit peu à peu et que l'on sache enfin discerner ce qui vibre et tremble derrière l'immobilité apparente, dans le mouvement secret des choses. Ainsi, en arrivera-t-on à la troisième question fondamentale :

> Qu'est-ce
> Qu'on entend courir
>
> Quand rien ne bouge ? (p. 41)

Ces trois questions déterminent selon nous les trois grandes étapes de l'initiation au domaine, mais cette dernière compte certainement parmi les plus délicates à résoudre car elle appelle directement, et pour la première fois, une « prise de parole » de la part de celui qui, jusqu'à présent, se laissait conduire et observait en silence. Certes, il sait que :

> Dans le domaine
> Il n'y a rien
>
> Qui ne cherche
> A se rencontrer. (p. 12)

et qu'il faut :

> Laisser les racines
>
> Resserrer sous terre
>
> Leurs filets.

Il sait surtout qu'il lui faudra trouver :

> Un rire
>
> En amitié avec les feuilles,
>
> Comme s'il y avait longtemps. (p. 107)

Mais répondre à la troisième interrogation appelle beaucoup plus qu'une simple connivence, ou qu'une position de principe. Il est indispensable que l'Autre participe de tout son être à ce « présent » du domaine, à ces réseaux qui travaillent sans relâche, à cette durée unique où les choses parviennent à (se) communiquer dans une certaine joie. Cette joie, instant du rire ou du sourire, sera instant sacré, instant paroxystique des choses, moment tant attendu des noces. *Inclus* nous parlait déjà d'« E-prouver les vallons, les coteaux / Les vergers ; les épouser » (p. 109)

> Mais les noces
> N'avaient lieu toujours
>
> Que de l'autre côté
> De l'horizon. (p. 87)

Sur l'autre bord (...)
Dans l'espace des fruits (p. 45)

Avec *Du Domaine* un pas a été franchi puisque nous sommes sur cet autre bord et qu'« Il y vient des fleurs » (p. 15). Les noces auront donc lieu dans le domaine qui est cet espace des fruits et des fleurs comme si, ici : « les fleurs / Etaient toujours / Au plein de leur temps. » (p. 73) comme si les groseilles n'étaient que le fruit des noces de la terre et du soleil. En effet :

> Ce qui sait le mieux
> Parler du soleil,
>
> Ce sont les groseilles. (p. 33)

Ainsi, la pierre elle-même est-elle le lieu de noces et d'ouverture, elle que l'on aurait pu croire plus immobile et plus silencieuse encore que l'étang. Le narrateur précise bien que « L'erreur serait de croire / Que la pierre se ferme / Sur la pierre. » (p. 39) comme il avait déjà pu dire dans un autre poème « Pour tous les couples au secret / Comme la pierre / L'est dans la pierre. » (p. 6)

Il est donc une valeur initiatique du poème à laquelle tout lecteur, parce qu'il a choisi de « diriger ses talons en avant et non en arrière » est immédiatement sensibilisé. Mais nous pensons plus encore que *Du Domaine* a tous les indices d'une passation d'écriture, tant il est vrai, en définitive, que le seul domaine que n'ait jamais régi Guillevic est celui des mots et du langage. Intégrer le lecteur au poème, n'est-ce pas le mettre de connivence avec les mots et le préparer à régir / gérer sa propre écriture ? Comme si les mots n'étaient que l'instant de noces du livre et du lecteur, trace persistante d'un temps sacré à l'opposé de « Ces moments / Où rien n'est intercepté. » (p. 89). En un mot, *Du Domaine* n'est peut-être que la contribution d'un homme pour que chacun, à la fin du livre, trouve son poème et l'écrive, et qu'ainsi chacun « vive en poésie ». Même si *Du Domaine* n'est que l'état d'une parole en souffrance, fragmentée, par moment désorientée et obligée de faire confiance, mais incapable de se conclure, prise dans le jeu des interpellations silencieuses, entraînée vers des lacis inconnus, contradictoires, dangereux (sources possibles de conflits et de rivalités), elle place le lecteur au centre de cette écriture qu'il lui faut désormais « régir » de toutes ses compétences car il en porte la responsabilité à venir.

C'est alors qu'il nous est donné d'assister au plus fou et au plus ambitieux des projets guilleviciens, celui qui le hante « en profondeur », si l'on peut dire, depuis très longtemps, depuis le bestiaire de *Requiem* où les charniers d'*Exécutoire* :

> Descendre et séjourner
> Dans cette espèce de terre. (p. 132)

Ici, la démarche du narrateur rejoint celle du poète qui prétend « creuser dans une carrière ». Descendre dans la terre, pour y trouver lombrics et radicelles, pour y dormir de tout son corps, c'est se livrer totalement au monde, se donner à l'écriture et « remodeler » un langage nouveau, plus près des choses et mieux adapté à leurs exigences. Nous n'insisterons pas sur la nécessité impérieuse et pressante d'un tel acte, largement soulignée par l'emploi répété de l'anaphore « il faut », employée six fois de suite aux pages 132 et 133, dont deux fois à l'intérieur du même quantum (p. 132). Ainsi, alors que le poème se termine (mais est-ce vraiment la fin du poème ?) sur cette exploration souterraine à laquelle se prépare le narrateur, abandonnant « au-dessus » de lui le domaine : « Pas besoin de savoir / Que le domaine est au dessus. » (p. 133) l'Autre, restant à la lumière, se trouve-t-il investi de son nouveau pouvoir de régisseur. A lui maintenant de régir la surface et de veiller, à lui de rendre des comptes à la tourterelle ; de toute façon :

> L'hirondelle
> Fera son rapport.
>
> Exact
> Exigu. (p. 143)

La fin du poème sonne le départ du narrateur vers le lieu d'autres sacrifices, d'autres questions. Peut-être ne restera-t-il de lui, à la surface, qu'une mise en garde sévère à l'adresse de ceux qui resteront : « Régir le domaine ? » (p. 114). « Méfiez-vous. » (p. 139) à laquelle fera écho la voix des reptiles : « Veillons ». (p. 143). Mais il ne fait aucun doute que l'écriture aura toujours son domaine et que le poème continuera à se faire, ailleurs en surface, plus loin et autre en profondeur. Ne nous reste qu'à saluer celui qui, contre la froideur du néant, a choisi la chaude métamorphose des êtres dans leurs moments de mort, car :

> Les morts
> Ils sont le matériau
> Dont est fait le poème.
>
> C'est eux que l'on travaille
> Quand on fait, sur l'autel,
> Venir les mots qu'il faut.

Les mots,
C'est leur substance,
Incorporée.

C'est eux,
La langue.

Eux
Qui l'ont sécrétée, mâchée,

Au long des jours,
Des mois, des siècles.

Dans le poème, on est en eux,
On les porte avec soi
Vers l'apothéose.

Inclus, pp. 163-164

Philippe LEGRAND

LUCETTE CZYBA

ENFANCES

Pourquoi vivre en poésie

J'ai un petit vase de grès,
Disait-il.

C'est contre l'orage.

Quand arrive le tonnerre,
Je regarde au fond du vase,
Tellement fort que m'y voilà.

L'orage
N'aime pas ça, du tout.

Alors il s'en va —
Ou bien c'est moi
Au fond du vase,

Moi qui l'oublie
A rêver le grès.

(Autres, 1969-1979) (1)

    Dans son entretien avec Lucie Albertini et Alain Vircondelet, .
Vivre en poésie (1980), Guillevic, pour en souligner la justesse,
rapporte la remarque que lui a faite un jour Aragon : « Ecoute,
Eugène, je sais bien que tu as six ans... » N'était-ce pas en effet
mettre le doigt sur ce qui est fondamental dans le rapport du
poète au monde, sur cette « vertu d'enfance » qu'il n'a pas perdue
et qui consiste à « être au centre et à (s')étonner » ? Lui-même
l'affirme, non sans insistance :

---

(1) Guillevic, *Autres,* poèmes 1969-1979, N.R.F., Gallimard, 1980.

«Je suis au centre. Je ne suis pas un individu dans la société. Je suis le centre. Ce n'est pas du tout une question d'orgueil. J'ai besoin d'un centre, si ce n'est pas moi, où est le centre? Le centre, c'est moi, tout part de moi» (2).

Il le répète, quand, à l'intention de Raymond Jean, il définit, comme «une somme», *Sphère* (1963), le recueil ainsi nommé parce que «c'est le mot qui revenait le plus souvent», avec cette précision que la sphère, c'est à la fois «la planète *terraquée*, la sphère du domaine intérieur et la sphère du poème» (3). De l'importance de cet espace primordial témoigne *Centre*, avant-dernier poème de la section *Conscience*, dont la place fait sens dans la structure de *Sphère :*

I

Dérisoire il est

Dans l'énormité
Des formes, des forces.

Une misère il est,
Il sait ce qu'il est.

Mais au centre il se sait,
Assumant le centre.

II

Gloire dans la sphère
Devient sa misère.
... (4)

A quoi fait écho le poème *Sphère* dans *Euclidiennes* (1967) (5) :

Je t'aime d'être habituelle,
Espace pour mes jours
Pour mon regard les yeux fermés.

---

(2) Guillevic, *Vivre en poésie*, Stock, 1980, p. 32.

(3) Guillevic, Raymond Jean, *Choses parlées, Entretiens*, Editions du Champ Vallon, 1982, pp. 62-63 ; en italique dans le texte.

Voir *ibid.*, p. 55 : «Je cherchais dans le *Petit Larousse* un mot dérivé de *terre*, ...*terrien, terrestre, terroir*... et je suis tombé sur *terraqué*, que je ne connaissais pas et qui désigne le globe terrestre, de *terra* et *aqua*, composé de terre et d'eau, employé, dit toujours le dictionnaire, par Voltaire, par Victor Hugo, comme adjectif : ce globe terraqué... et, moi, je l'ai trouvé chez Proust, dans les *Jeunes Filles en fleur*, au sujet du Bois de Boulogne... Chose amusante, depuis le mot a disparu du *Petit Larousse*... »

(4) Guillevic, *Sphère*, suivi de *Carnac*, N.R.F., Poésie Gallimard, 1977.

(5) Guillevic, *Euclidiennes*, N.R.F., Gallimard, 1967, p. 34.

En toi j'ai place,
En toi je suis,
Je me bâtis
...

Etre « au centre », être « le centre », « assumer le centre »,
pour avoir tôt découvert la solitude, la différence, pour s'être tôt
senti « paria dans la différence », mais pour avoir été, en même
temps, convaincu d'avoir à vivre « une destinée extraordinaire » et
de ne pas devoir être « le dernier des riens » (*Vivre en poésie*,
p. 32-33) ; pour avoir su transformer « une enfance malheureuse »
en enfance « habitée », pour avoir su, enfant « maudit », se réfugier
« dans l'amour des objets familiers, l'amour des choses qui, elles,
ne sont pas méchantes »... (6) : « Je me pelotonnais beaucoup
autour de moi. Me blottissais en moi. J'avais un rapport avec les
choses, le brin d'herbe, le caillou »... (*Vivre en poésie*, p. 33).

Un brin d'herbe,
Après tout,

Ça fait assez superbe
Pour un grand rendez-vous.
(*Autres*, p. 136)

C'est donc par ce rapport originel au monde, par cette découverte
du mystère du monde et de ce qu'on pourrait appeler l'épopée du
quotidien, découverte qui a protégé l'enfant contre le malheur,
mieux, transformé son malheur en royauté, que Guillevic explique
ce qui caractérise son écriture, la forme privilégiée du poème
court, deux ou trois vers parfois, poème non « articulé » qui
correspondrait « justement aux sentiments et aux sensations éprou-
vés dans son enfance comme des éclats, des éclairs » (*Vivre en
poésie*, pp. 51, 52) :

Si un jour tu vois
Qu'une pierre te sourit,

Iras-tu le dire ?
(*Terraqué*, p. 29) (7)

Et d'insister sur le fait que si chacun de nous est déterminé
par son enfance, cela est particulièrement vrai pour le poète : ...
« le paysage intérieur du poète est filigrané par ses souvenirs
d'enfance (...) C'est là qu'il a eu la révélation du monde et des
choses que l'on dit extérieures. C'est là, aussi, qu'il a eu ses

---

(6) Guillevic, R. Jean, *op. cit.*, pp. 23-24.
(7) Guillevic, *Terraqué*, suivi de *Exécutoire*, N.R.F., Poésie Gallimard
1968.

premiers rapports faciles, étranges ou curieux avec le langage, avec les mots »... (*Vivre en poésie*, p. 51). Ainsi se sont constituées ces images primordiales qui composent le paysage guillevicien dès le premier recueil, *Terraqué* (1942) (8). Le titre résume en effet un espace privilégié, espace intermédiaire des « noces de la terre et de l'eau » (9), lieu *originel* aux confins de la terre et de la mer :

Il ne pense pas au port
Pour le voyage, le départ,
La grande mer.

Il rêve au port
Pour bien sentir la terre,
Pour s'accrocher à elle.
(*Autres*, p. 137)

Aussi bien l'écriture de *Carnac* (1961), après ce que Guillevic appelle « une longue parenthèse », est-elle caractérisée par le retour à la langue, aux images et aux thèmes de *Terraqué* :

J'ai joué sur la pierre
De mes regards et de mes doigts

Et mêlées à la mer,
S'en allant sur la mer,
Revenant par la mer,

J'ai cru à des réponses de la pierre.
(*Carnac*, p. 144)

« J'étais hanté par le pays natal », explique le poète, « il fallait que je le dise. On ne doit écrire que ce qu'on ne peut pas ne pas écrire » (10). Quand il s'agit de donner un titre au recueil paru en 1979, *Etier*, il choisit le mot qui désigne l'étroit canal conduisant l'eau de mer aux marais salants : le poète n'est-il pas « l'étier qui reçoit ce qu'il peut du monde » (11) ? Et, comme le signifie *Encore*, *Etier* témoigne du même rapport spécifique au monde :

Tu ramasseras des cailloux
Encore,

Comme si c'était
La première fois.
(*Etier*, p. 81)

---

(8) Voir note 3 et *Vivre en poésie*, p. 146 : « *Terraqué* est mon fondement, ma base ».

(9) Guillevic, R. Jean, *op. cit.*, p. 16 ;

(10) *Vivre* en poésie, p. 168.

(11) *Ibid.*, p. 220 ; *Etier*, poèmes 1965-1975, N.R.F., Gallimard, 1979.

Car il s'agit, en définitive, pour Guillevic, moins de « dire » que de retrouver par l'écriture ce qui fut pour lui expérience primordiale et fondatrice :

> Dire n'est ici qu'un moyen
> Pour arriver à quelque chose
>
> Qui serait de l'ordre
> Plutôt du toucher, d'un autre toucher.
> (*De l'ordre du toucher*, Etier, p. 119)

Né à Carnac, Guillevic est un Breton « passionné par la terre familière » (*Vivre en poésie*, p. 165) ; par cette terre dont le toucher a été pour le *Garçon* refuge contre le malheur :

> On fait semblant d'être à la table
> Et d'écouter.
>
> Mais on a glissé
> Parmi les feuilles mortes,
> Et l'on couve la terre.
> (*Terraqué*, p. 130)

Car les vagabondages dans la campagne, « la petite guerre dans les champs », « patauger dans l'eau / Près des haies feuillues », figurent autant de libertés conquises, loin de la maison et des rigueurs maternelles :

> Et dehors il y avait
> Tous les nids et tous les champs,
> Tous les chemins creux au-dessous du vent
> Avec leurs trous pour les serpents.
> Il y avait les ronces des champs.
>
> Et en soi une force
> Plus forte que le vent,
> Pour plus tard et pour maintenant,
> Contre tout ce qu'il faudrait,
> Certainement.
> (*Terraqué*, p. 129)

Le souvenir le plus net que le poète garde de cette enfance bretonne n'est pas celui de la mer mais celui de la terre, de la lande :

> « ... Ce n'est pas visuel pour moi, c'est charnel. Le toucher de cette terre, c'est ma grande école...
> Je n'étais pas souvent à la maison... Je fuyais ma mère le plus possible... Les jeudis, nous allions à longueur de journée dans les champs : une communion profonde avec la terre, avec l'herbe, avec les genêts, avec la lande. On *pataugeait dans* l'eau. Il y avait ce qu'on appelait les rivières, c'étaient plutôt des ruisseaux de deux ou trois mètres de large »... (*Vivre en poésie*, pp. 18-19). .

N'est-ce pas dans ces sensations premières que trouve son origine la métaphore de *Chemin* (12), signifiant pour Guillevic en 1959 le retour à la « parole » (c'est-à-dire à « l'exploration »), après la « parenthèse » des années de « discours » ?

> Auprès d'une eau trouvée
> Dans un ruisseau de Mai,
>
> La douceur était là,
> Qui manquerait.

N'est-ce pas toujours à cet éprouvé de l'enfance qu'il se réfère quand il affirme : « Vivre est une sensation / La poésie aussi » (*Vivre en poésie*, p. 10).

Pourtant Carnac, c'est aussi, et fondamentalement, la mer :

> Je sais qu'il y a d'autres mers,
> Mer du pêcheur,
> Mer des navigateurs,
> Mer des marins de guerre,
> Mer de ceux qui veulent y mourir.
>
> Je ne suis pas un dictionnaire,
> Je parle de nous deux
>
> Et quand je dis la mer,
> C'est toujours à Carnac.
> (*Carnac*, p. 158)

Mer, métaphore d'une peur, d'une angoisse existentielles, comme le donnent à lire les deux poèmes voisins intitulés *Carnac* dans *Terraqué* (pp. 56-57) :

> Quand le géant noir
> Qui dort parmi les fossiles du fond des mers
> Se lève et regarde...
> La mer met son goémon autour du cou — et serre.
> Les bateaux froids poussent l'homme sur les rochers
> Et serrent.

La mer, « ce creux / Et définitif » pour qui rêvait « de faire équilibre » (*Carnac*, p. 209), « incernable océan » en qui « ça grouille » et qui « peut-être » pousse « ces monstres qui pénètrent / Dans le lieu de nos cauchemars » (*ibid.*, pp. 146, 152) ; mer innommable, « Sans corps, / Mais épaisse. / Sans ventre, / Mais molle. / Sans peau, / Mais tremblante. / Et flasque. » (*Ibid.*, pp. 181, 183). Dans l'imaginaire guillevicien, les certitudes rassurantes de la terre (à quoi « s'accrocher ») n'ont de sens que dans le

---

(12) Première strophe de *Chemin* qui, écrit en 1959, est devenu le poème liminaire de *Sphère* publié en 1963.

rapport d'opposition qu'elles entretiennent avec cette hantise des profondeurs, de « ce noir qu'on ne peut régir » (*Vivre en poésie*, p. 165). En témoigne la rêverie fascinée sur les rocs qui, « toujours », (...) « n'auront pour tenir / Que grandeur (...) / Et puis la joie / De savoir la menace / Et de durer » (*Terraqué*, pp. 78-79).

> Même assis sur la terre
> Et regardant la terre,
>
> Il n'est pas si facile
> De garder sa raison
> Des assauts de la mer.
>> (*Carnac*, p. 175)

Lieu-frontière, intermédiaire et symbolique, Carnac, par son ambivalence, a donc, dans la rêverie guillevicienne, le privilège d'un double pouvoir, celui de signifier une peur fondamentale et d'affirmer la possibilité de recours contre cette peur :

> Beaucoup d'hommes sont venus,
> Sont restés. Terre d'ossements,
> Poussière d'ossements.
>
> Il y avait donc
> L'appel de Carnac.
>
> Comment chantaient-ils,
> Ceux des menhirs ?
>
> Peut-être est-ce là
> Qu'ils avaient moins peur.
>
> Centre du ciel et de la mer,
> De la terre aussi,
> La lumière le dit.
>
> Chantant, eux,
> Pas loin de la mer,
> Pour être admis par la lumière.
>
> Regardant la mer,
> Lui tournant le dos,
> Implorant la terre.
>> (*Carnac*, p. 178)
>
> Eglise de Carnac
> Qui est comme un rocher
> Que l'on aurait creusé
>
> Et meublé de façon
> A n'y avoir plus peur.
>> (*Ibid.*, p. 149) (13)

(13) Voir *Carnac*, pp. 192, 193 :
  Il y a des milliers d'années

Carnac, « pays sacré » (14), figure le lieu mythique des origines, de la naissance d'un poète qui, revendiquant son patronyme breton Guillevic, a rejeté le prénom donné par sa mère :

> « Quand j'ai commencé à publier, il y avait certainement le désir d'être Guillevic et pas Eugène. Il y avait surtout le fait qu'Eugène c'était ainsi que ma mère m'avait appelé, et je ne voulais rien garder de ma mère...
>
> (...)
>
> En supprimant mon prénom, il y avait aussi le désir d'enlever quelque chose d'intime — une intimité que je reniais. A l'époque, je n'aurais pas pu publier sous le prénom d'Eugène. Alors prendre un autre prénom ? Ah ! si j'avais publié sous le nom d'Alphonse Marie Guillevic de Carnac ! »
>
> (*Vivre en poésie*, p. 193)

Et de rappeler que « (sa) langue maternelle n'est pas celle de (sa) mère » (*Ibid.*, p. 213). Grâce à son ambivalence, le mythe de Carnac constitue la meilleure, sinon la seule réponse possible aux contradictions insolubles du malaise qui résume la relation du *Garçon* à sa mère. Puisque « L'insidieux est notre passé / Chargé sur nous de représailles » (*Carnac*, p. 172), le meilleur recours contre l'histoire personnelle, c'est de s'enraciner dans le mystère de la préhistoire, débouchant sur l'a-temporel :

> « Etre né au pays des menhirs — du monde mégalithique —, ces menhirs qui appartiennent à une civilisation dont on ignore tout et qui date de longtemps avant les Celtes. On est en plein inconnu, en plein mystère. On est dans le sacré » (*Vivre en poésie*, p. 52).

Lieu des origines et du temps éclaté, Carnac figure le centre autour duquel s'ordonne un monde harmonieux et réconcilié :

> Nulle part comme à Carnac,
> Le ciel n'est à la terre,
> Ne fait monde avec elle
>
> Que les menhirs te tiennent tête
> Et à ce vent que tu leur jettes.
> (...)
> Vraisemblablement,
> Sans toi, l'océan,
>
> Ils n'auraient rien fait à *Carnac*,
> Ceux des menhirs.

(14) Voir *Vivre en poésie*, p. 52 :
« Si j'étais né ailleurs qu'à Carnac, je ne sais pas si je serais différent, mais quand même, il me semble — je laisse à de plus calés que moi et à des psychachoses le soin de le dire (si ça les intéresse) — que le fait d'être né dans un pays sacré, cela travaille. C'est aussi bien que d'être né à Milly »...

Pour former comme un lieu
Plutôt lointain de tout
Qui s'avance au-dessous du temps.
(...)
Du milieu des menhirs
Le monde a l'air

De partir de là,
D'y revenir.

La lumière y est bien,
Pardonne.

Le ciel a trouvé sa place.
(*Carnac,* p.160)

Les herbes de Carnac sont «herbes d'épopée», à Carnac l'odeur de la terre est «passée / A l'échelon de la géométrie» :

Et toujours le vent, le soleil, le sel,
L'humus un peu honteux, le goémon séché,

Tous ensemble et séparément luttent
Avec l'époque des menhirs

Pour être dimension.
(*Ibid.,* pp. 160, 198)

«Je ne peux pas vivre sans écrire», avoue Guillevic. «C'est un besoin physiologique ou psychophysiologique», «j'écris pour savoir ce que je suis» (15). L'écriture a permis à celui qui fut mal-aimé, «humilié et offensé», de prendre sa revanche, d'exorciser la «Peur de se perdre / Dans cette ouate / Hors des dictionnaires» (*Autres,* p. 151), de libérer et de dépasser l'angoisse de «Patauger / Dans une espèce de boue / Pétrie avec ses cris» (*Ibid.,* p. 148). Parce qu'elle est quête et affirmation d'identité, l'écriture est pour Guillevic «besoin primordial» :

«... ma mère m'a inculqué la culpabilité (...) J'ai vécu le jugement dernier pendant toute mon enfance (...) Au nom de la religion, ma mère m'avait inculqué la peur (...) C'est pour cela que, j'ai tout envoyé promener, la mère, Dieu, la religion! Mais ça a duré longtemps (...) Tout jeune, je n'ai jamais considéré l'écriture comme la possiblité d'une carrière, pas même comme un moyen de gagner ma vie, non ; écrire pour me sortir, me dresser, m'éloigner de tout ça. Ma bouée. Un désir de revanche.» (*Vivre en poésie,* pp. 71-72).

Dans *Terraqué,* le premier recueil, qui permet de voir tout ce que l'univers poétique guillevicien doit aux images de l'enfance et de

(15) Guillevic, R. Jean, *op. cit.,* pp. 73-74.

la mémoire, la mère, loin d'être celle qui accueille, donne et nourrit, apparaît comme celle qui rejette et fait chèrement payer ce qu'elle ne peut refuser, juge redoutable, condamnant sans rémission, provoquant un sentiment permanent d'exclusion et de frustration, de culpabilité et de remords :

> C'était bien pour sa rançon
> Qu'il lui rapportait le pain.
> Et pour éteindre son œil
> Qu'il n'abusait pas du lait.
>   (*Garçon, Terraqué*, pp. 129, 130) (16)

> Tu n'as tué personne encore —
> Tu pourrais être sans remords.
> (...)
> Tu pourrais manger sans horreur.
>   (*Terraqué*, p. 39)

Avec pour conséquence, la blessure incurable du mal intériorisé :

> Quelque part en toi
> Où nul œil ne voit
>
> Tu rumines ta plaie
> Comme du verre pilé.
>   (*Ibid.*, p. 101)

N'est-ce pas aussi la souffrance provoquée par la dureté de cette mère justicière et frustrante qui sous-tend les images du poème significativement intitulé *Face* (p. 35) ?

> Pays de rocaille, pays de broussaille — rocs
> Agacés de sécheresse.
>
> Terre
> Comme une gorge irritée
> Demandant du lait,
> Femme sans mâle, colline
> Comme une fourmilière ébouillantée,
> Terre sans ventre, musique de cuivre :
> Face
> De juge.

(16) Cf. *ibid.*, p. 53 : « Le pain du condamné »... Cf. *Vivre en poésie*, p. 233 :

> « ... Je me suis toujours senti malhabile, inadapté. Physiquement d'abord — je ne reviendrai pas sur mes manques. Tout au long de ma vie, j'ai toujours eu mal quelque part sans avoir — à deux exceptions près — jamais rien eu de très grave.
> Ensuite, la conscience de ma laideur, due sans doute plus à la condamnation de ma mère qu'à mon physique lui-même. »

Métonymies maternelles révélatrices ; à celle de l'œil justicier font écho celles de « la voix qui gronde », du « sourire » inquiétant qui fait dire au *Garçon* :

> Mieux valait faire la petite guerre dans les champs
> Que s'angoisser au soleil couchant,
> A cause de son sourire peut-être, à elle,
> Ou à cause de tout.
>
> (*Ibid.*, p. 130)

La *naissance* (*Ibid.*, p. 50), « bouillie de provinces, de lits », est associée à l'aridité agressive, au sang de la blessure, non au lait, et à la mort :

> Car la source n'est plus la source,
> Crachait des pierres, et dans la bouche
> Un bout de sein vieux.
>
> La tête
> Voulait mouiller de son sang l'herbe douce
> Et dormir.

Au reste le sang, comme le cri, est un leitmotiv du recueil, connotant l'hostilité d'un monde agressif, peuplé de monstres, « poursuivants de toujours qui suçaient leurs ventouses », « taureau venu pour la bataille / Et s'acharnant de front », « bête au souffle chaud », « à dents et muqueuses », « guêpes terrifiantes » (*Ibid.*, pp. 41, 44, 43)... Car naître, c'est être exclu :

> Mère aux larmes brûlantes, l'homme fut chassé de vous —
>
> De vos tendres ténèbres
> De votre chambre de muqueuses.
>
> (*Ibid.*, p. 52 (17)

De *Terraqué* à *Carnac* (p. 175) persiste le sentiment obsédant d'être « à la porte » ; seuil barré par le carré blanc du journal maternel (*Garçon, Terraqué*, p. 129), maison réduite à une façade inhospitalière :

> La maison d'en face
> Et son mur de briques.
>
> La maison de briques
> Et son ventre froid.

----

(17) Cf. *Autres*, p. 146 :
Probablement
C'était son lot

D'être expulsé
Comme la graine du genêt.

La maison de briques
Où le rouge a froid.
(*Terraqué*, p. 32)

L'intériorité comme refuge et protection n'existe pas :

Murs sans trompettes — quels cris
Vous jetez dans la chambre,
— Quel silence et quelle horreur.
(*Ibid.*, p. 47)

En fait le dedans suscite autant d'horreur que d'attirance ; de même les lieux profonds, creux et humides (étangs, marécages) provoquent fascination *et* répugnance : ambivalences significatives. Le motif de la nostalgie de ce qui a précédé la naissance n'est pas moins obsédant :

C'est de la viande où passait le sang, de la viande
Où tremblait la miraculeuse,
L'incompréhensible chaleur des corps.

(...)

On pourrait encore caresser ce flanc,
On pourrait encore y poser la tête
Et chantonner contre la peur.
(*Bœuf écorché, ibid.*, p. 25)

La tentation du terrier où « se tapir », « hiberner », est une constante de *Terraqué* à *Autres* :

Cette boulimie qu'il avait
D'immobilité

Ce rêve
De stabiliser
L'immobilité
(*Autres*, p. 144) (18)

Par hantise du vertige :

Pour se voir pris, repris
Par le vertige,

Il n'avait pas besoin
De monter bien haut.
(*Ibid.*, p. 147)

Mais cette aspiration à « l'immobilité » s'accompagne de méfiance à l'égard d'un état de rêverie proche de l'hébétude qui menace l'être de dissolution. Guillevic, tenté par une sorte de « tellurisme

(18) Cf. *Etier*, p. 92 :
J'ai dû être statue,

Avant d'être cet homme
Qui rabâche du noir et n'aime pas bouger.

mystique », se défend de s'y abandonner ; refusant de se complaire dans le fantastique, il se veut moins « voyant » que « voyeur » (*Vivre en poésie*, pp. 174, 175), car « rester au même endroit, aux écoutes, aux aguets, de l'au-dehors et de l'au-dedans » ne signifie pas pour lui abdiquer sa raison. Il la revendique au contraire, désireux de contrôler son activité fantasmatique et de maîtriser ce qu'elle a de menaçant pour lui : « Délirer, délirer / Dans du vrai ». C'est par le même désir d'autodéfense qu'il justifie ce qui l'oppose au surréalisme :

> « Mes rêves ont toujours été mes ennemis, ils m'ont toujours persécuté. Je fais beaucoup plus de cauchemars que de rêves agréables...
> Me dissoudre dans le rêve, c'est tout à fait contraire à ma nature »... (*Ibid.*, p. 99).

Pour celui qui a été « torturé du démon » (*Terraqué*, p. 95), dont, dans *Etier* encore, la métonymie du cri du cochon qu'on égorge résume l'*Enfance* (p. 55) (19), qui a dû « apprendre / A vivre avec ça », « ce cri de l'égorgé », rien n'est jamais acquis :

> Les soirs encore
> Seront décisifs.
>
> Jamais sûr
> De traverser.
>
> Supporter
> Comme jusqu'ici
> L'insupportable,
>
> Tu sauras ?
> (*Etier*, p. 82)

Il n'est pour lui d'autre recours qu'un travail incessant d'écriture, travail sur « les mots (qui) ne se laissent pas faire », « les mots qu'on arrachait, / les mots qu'il fallait dire » (*Art poétique*, *Terraqué*, pp. 138-139) (20) :

(19) Guillevic, *op. cit.*, pp. 55-57 :
> Il y avait le cochon qu'on égorge
> Et ça n'en finissait pas,
> (...)
> Mais va donc rester
> Ce cri par les airs,
> La terre et la pierre.
>
> Et nous resterons
> A côté du cri.
>
> Si ce n'est pas nous
> Qui serons ce cri.

(20) Significativement cet *Art poétique* ferme le recueil de *Terraqué*.

Il s'est agi depuis toujours
De prendre pied,

De s'en tirer
Mieux que la main du menuisier
Avec le bois.

(*Ibid.*, p. 140)

A quoi font écho ces vers de *Paroi* (1970), répétant le même credo :

Encore une fois,
Je me sers du même procédé :

Pour atténuer le malaise,
Pour me sentir un peu d'aplomb,
Pour me débarrasser en le fixant
De quelque chose de vague
Qui me contrarie, qui me gêne,

Je figure, je projette,
Je visualise, je spatialise.
(...)
Pourquoi ne pas jouer
Ou tenter de jouer,
Même avec la paroi,
Quand jouer c'est guérir,
Aussi peu que ce soit.

(*Paroi,* pp. 186-188) (21)

Car « Les mots / C'est pour savoir » (...) Et la peur / Est presque partie » (*Exécutoire*, p. 157).

Le cri du chat-huant,
Que l'horreur exigeait,

Est un cri difficile
A former dans la gorge.

Mais il tombe ce cri,
Couleur de sang qui coule,

Et résonne à merci
Dans les bois qu'il angoisse. (22)

Lucette CZYBA

(21) Guillevic, *Paroi, Poème,* N.R.F., Gallimard, 1970. Cf. p. 187 :
Mais quoi ?

Cette façon d'occuper
Le silence et l'espace,

Il n'y a pas qu'à moi
Qu'elle sert.

(22) *Art poétique, Terraqué,* p. 139.

ÉCRITURES

Fait-divers

Fallait-il donc faire tant de bruit
Autour d'une chaise ?

— Elle n'est pas du crime.

C'est du vieux bois
Qui se repose,
Qui oublie l'arbre —
Et sa rancune
Est sans pouvoir.

Elle ne vent plus rien,
Elle ne doit plus rien,
Elle a son propre tourbillon,
Elle se suffit.

Guillevic

REQUIEM

à Jules Supervielle.

BRUYÈRE

Un brin seul
Sous les pins se dessèche.

Le reste par milliers
S'offre encore aux abeilles,
Offre encore sa couleur
Au jour gris.

Les six poèmes qui composent *Requiem* furent publiés en 1938, dans les Feuillets de « Sagesse », collection anthologique n° 70. Editions Sagesse, Librairie Tschann, Paris.

PIN

Un pin est mort

Sur une terre avare de sang,
Comme arrachée de la matrice
Avant le terme.

La bruyère s'étale,
Les insectes s'affairent,
L'herbe croît.

Ce n'est qu'une blessure
A la lisière du bois.

VACHE

Pitoyable tas tiède au pied du mur croulant,
Cet amas noir et blanc
Eut un regard d'ami.

Mais ton œil,
Au long du temps sans fin du pâturage et de
l'étable,
N'a rien sans doute
Attendu d'autre que l'arrêt du mouvement
Où tu entras sans résistance.

Ton mufle pâle, doux à la paume,
Se fie à l'air du soir.

— Tu vas pourrir. Ce sera une chose horrible.
Nous la mangerons dans le pain
Après l'été.

HANNETON

Ce n'est plus
Qu'un schéma d'insecte, une épluchure du corps
Qui travaillait le chêne.

Ce corps, un jour s'est arrêté de bouger ;
Le vent, la pluie
Ont emporté dans le vrombissement du champ
Les débris de son ventre ouvert.

Sur l'herbe jaune au pied du chêne,
Reste une carcasse diaphane
Que la rosée pourra emplir.
— Pourquoi ressusciter ?
Va, tout se fait sans toi et le froment mûrit :
Un couple s'est aimé au pied de l'arbre,
On voit dans l'herbe la forme de la femme
Et la marque des pieds de l'homme.

Au sommet de l'été, il ne restera rien
A quoi te reconnaître.

ÉCUREUIL

Il ne faudra pas beaucoup de soleil
Pour te dessécher,
Pas beaucoup de mouches dans l'ombre des
pins
Pour sucer ta chair.

Etre agile et savoir jouer
Pourrait durer — ne dure pas.

FOURMI

Parle-t-on
D'un cadavre de fourmi?
Cadavre à peine
Sur l'herbe verte...

Le monde
A été fait pour l'homme — on le sait bien.
Etouffons
Les erreurs de la providence.

Affreuses choses qui grouillez
Hors de la sympathie des hommes,
Il faut en référer au ciel.

Ah! plus grandes un millier de fois
Et portant le fusil,
Vous seriez dignes de l'estime
Au lieu de l'eau bouillante.

ETIEMBLE

GUILLEVIC EST-IL UN « HAIJIN » ?

1934. Lorsque Georges Bonneau publie sa collection *Yoshino* de poésie japonaise, j'écris mon premier texte sur le haïkaï, ou *haïku* : à la demande expresse de Jean Paulhan, qui m'envoie les épreuves mais ne publiera pas ces quelques pages. Sans doute n'eut-il pas tout à fait tort : les traductions que j'avais examinées ne valaient guère mieux que la plupart que celles dont nous disposions alors ; souvent même faussaient le ton, ou gardaient la syntaxe du japonais, laquelle devient en notre langue ou bien faussement archaïsante, ou bien franchement intolérable. Plus tard, je compris une autre des raisons de son « non possumus » : je ne faisais aucune allusion au rôle qu'avait joué le *haïku* dans la poésie française durant la guerre de 1914 et l'après-guerre : pas un mot sur le numéro où des Français se transformaient en *haijins* ; en tout particulier, Jean Paulhan. Voilà donc un demi-siècle ou peu s'en faut que je travaille sur le *haïku*, ses traductions, les adaptations ou prétendues adaptations qu'on en prodigue en tous pays, socialistes comme on dit comiquement, ou capitalistes (ce qui n'est pas drôle non plus). Je crois commencer à comprendre ce qu'est au juste un *haïku*. C'est le sentiment de certains critiques, japonais notamment, qui m'invitèrent à en parler à Kyoto : c'était en 1972, au congrès du P.E.N. Club japonais. Si les petits cochons, ou les gros, ne me mangent pas trop vite, peut-être un très beau jour (pour moi du moins) achèverai-je le livre en cours sur ce genre littéraire.

Qu'on me fasse la grâce de ne pas considérer le paragraphe précédent comme un signe de fatuité : on m'a demandé de me prononcer sur la question qui donne à cet essai son titre : n'est-il pas juste et raisonnable que j'explique sommairement ce qui justifie mon audace ?

Bon.

1945. Je fonde *Valeurs* en Egypte, afin d'y défendre la France libre contre les deux impérialismes que je sens qui menacent la France libérée : l'américain et le russe. Dès le numéro 3, je publie un poème de Guillevic : *Les Charniers*. Si féru que je sois de culture japonaise, il ne me viendrait pas à l'esprit de penser, si peu que ce soit, que *Les Charniers* tiennent du haïku.

1982. C'est l'automne. De Munich, me parvient le numéro 1 de *Correspondance*, que m'envoie Ion Caraion. J'y découvre, notamment, un poème de Guillevic : *La Rivière*, le dernier que je lirai de lui avant que ne me parvienne *Du Domaine*, poème de 1977, qui m'avait alors échappé : on venait de m'ouvrir le cœur, et bien que j'eusse droit à un an de congé payé, l'imbécile que j'étais trimait encore à la Sorbonne. *Poème,* je lis bien ; et non *poèmes.* Un *haïku* de 143 pages, non, vraiment, je n'en lus jamais un seul. *Du Domaine* n'est donc pas plus un *haïku* que les quatre pages de *La Rivière*. « Oui, mettons, diront certains ; mais lisez donc la page 142 de ce *Domaine :*

> La grenouille
> Se souvient
> Qu'elle doit chanter.

Un tercet, une grenouille, ça ne vous dit rien ? Ça ne vous rappelle point un des *haïkaïs* les plus célèbres de Bashô ?

— Nenni, comme dit Jean de la Fontaine à propos précisément d'une certaine et fameuse grenouille. Nenni ! foi d'animal ! »

Comment dès lors ne comprendrais-je pas l'agacement de Guillevic qui se voit couramment, constamment, obstinément qualifié sinon de *haïjin,* car ceux qui l'agacent ignorent sans doute ce mot-là ; de fabricant de quelque chose, en tout cas, qui ressemble au *haïku ?*

Regardons-y d'un peu près.

Depuis que notre désarroi économique, idéologique, que notre décadence intellectuelle, attentivement cultivée par la télé, la pube et autres saloperies, nous livre aux prétendus charmes de l'Asie extrême : secte Moon, et faux moines bouddhistes, *Yi-King* à toutes les sauces, notamment à la cuisine yinisée, prônée naguère dans *Elle* malgré son dérisoire ou, grâce à lui, c'est à qui fabriquera des *haïkaïs* ou des *haïkus :* j'en ai collectionné en plus de vingt langues qui se croient vivantes : *quatrains rimés* sur des thèmes érotiques, poèmes de *sept pages* sur tout et n'importe quoi : autant de *haïkaïs,* si j'en croyais leurs auteurs ; les critiques emboîtent leurs faux-pas. Et voilà pourquoi Guillevic serait un *haïjin !* Puisque n'importe quoi, chez nous, devient du *haïku,* pourquoi refuser à l'un de nos meilleurs poètes le droit à la japoniaiserie en vogue ?

Eh bien ! justement : parce qu'il ne japoniaise point, lui, et que nul de ses poèmes ne saurait sans ridicule être classé parmi ceux du genre japonais en question.

Je ne connais en France, aujourd'hui, qu'un homme qui élabore en connaissance de cause des *haïkus ;* autant du moins que le permettent la poétique de ce genre et la structure de la langue française. C'est M. Gouttenoire qui vient de recueillir, sous le titre *Mortes saisons,* cinquante-deux haïkus écrits de 1951 à 1982.

Ce sont tristes fleurs que les corbaux sur la neige de ce pieux jardin.

Bien entendu, selon la forme du *haïku,* M. Jacques Gouttenoire imprime ses poèmes sur une page assez large pour n'aller point à la ligne, car, mais oui, messieurs-dames, le *haïku,* c'est d'abord un monostique. Ça n'a rien à voir ni avec un quatrain rimé, ni avec un tercet quelconque, ni même avec un tercet de trois « vers » de 5 syllabes + 7 syllabes + 5 syllabes.

Si j'avais le goût des arguments d'autorité, je me bornerais donc à cette phrase : *puisque jamais Guillevic n'a cherché à construire des monostiques de 17 syllabes, ce n'est point un haïjin !* Un point. C'est tout.

Aux arguments d'autorité, aux arguments des autorités, religieuses, politiques, universitaires, comme j'ai toujours préféré les raisonnements qui ne bannissent point la raison, je tenterai donc d'expliciter et d'expliquer mon jugement.

N'est-il pas navrant de penser que quatre-vingts ans à peu près depuis la révélation faite aux Français du *haïkaï,* il faut encore leur en ressasser les normes, le propre, les traits pertinents ou (de quelque nom qu'il vous plaise de la désigner) : la poétique, la technique ?

Outre le syllabisme (lequel accepte, rarement, quelques irrégularités) il faut compter deux autres traits pertinents sans lesquels point de *haïku :* le *kireji,* ou mot-césure, et le *kigo,* ou mot-saison. Ce classement des *haïkus* par mots-saison, et donc par saison, incite un *haïjin* néerlandais, Karel Hellemans, à publier un volume intitulé *Jaarkring :* le nouvel an y est imprimé sur papier blanc, le printemps, sur papier vert, l'été, sur papier rouge, l'automne, sur papier jaune, l'hiver, sur papier violet. Le tout, suivi de quelques « senrioes », transformation en néerlandais du *senryu* japonais, ce *haïku* auquel est permis l'érotisme, et les autres fantaisies absolument interdites au *haïjin*.

Autant il est facile à un Européen de trouver des mots-saison, autant le *kireji* lui pose de questions. Mot-césure : pour les uns, il peut se traduire par deux points, un tiret, selon les circonstances. Pour d'autres, il peut également avoir une valeur emphatique ; c'est pourquoi, sans doute, on le rend souvent en français, bien trop souvent, par une exclamation, comme *ah !*, *oh !*, qui fausse le texte original. Dans la tradition du *haïku*, on compta jusqu'à dix-huit *kirejis* ; certains disent : davantage même. Actuellement, trois subsistent surtout : *kana, keri,* et *ya,* le plus fréquent ce me semble, bien que je ne me sois pas imposé de méticuleuses statistiques.

Quant aux mots-saison, *kigos,* ils sont répartis selon les quatre saisons de l'année depuis au moins le *Kokin-shu* ou *Kokin waka shu, Recueil de poèmes japonais de jadis et naguère* qui fut dès 905 le premier des nombreux recueils officiels compilés durant l'histoire littéraire du Japon.

Si bref qu'on le juge ici, le *haïku* exige pour le Japonais autant de labeur, et plus, que celui qu'exigeait Boileau : au lieu du « vingt fois sur le métier », là-bas c'est « mille fois repassez vos poèmes sur vos lèvres » : avec dix-sept syllabes, c'est plus facile en vérité qu'avec une épopée en vingt-quatre chants.

Au fait, sa brièveté, de quelle nature au juste ? Pour la plupart des imitateurs, emprunteurs, commentateurs (et je n'exclus point les éclairés) le *haïku* est un « tercet ». Malheureux ! Comment ne savez-vous pas que le propre du *haïku* c'est le *monostique ?* Mais alors, dira quelqu'un de fûté, orné de quelques lectures, nous avons en France un fameux *haïjin :* Emmanuel Lochac, auteur de *monostiches,* qu'on peut lire en effet, aux pages 93-106 d'*Aux pas feutrés du songe* (1), et même de *micrones, monostiches contractés,* en ceci que Lochac qualifie de monosti-ques les seuls alexandrins, et que ses monostiques de huit syllabes, il préfère les qualifier de micrones. Battus à plate couture les Japonais ! Ils ne sont capables, eux, que de dix-sept syllabes (rarement, une de plus, une de moins).

Querelle dérisoire ! Le fait est que la capacité pulmonaire des humains leur permet très bien de réciter d'une seule expiration un vers de dix-sept syllabes. Et comme cet ensemble se divise en trois séquences de cinq, sept et cinq syllabes, avec obligatoirement un *kireji,* mot-césure, soit après les cinq premières, soit après les

(1) Paris, Les Cahiers des images de Paris, 1967.

douze premières syllabes, on découvre que le *haïku* comporte toujours, en somme, un alexandrin : soit qu'il se forme dès les deux premières séquences, soit qu'il advienne aux deux dernières. Aux hémistiches de nos alexandrins, correspond dans le *haïku* un découpage du même genre.

Monostique de dix-sept syllabes, coupées par un *kireji*, et ornées d'un *kigo*, tels sont les trois traits pertinents du *haïku*. D'autres procédés subsidiaires peuvent intervenir dans la poétique de ce genre ; jeux de mots, onomatopées, allitérations, paronomases ; procédés qui appartiennent à mainte et mainte poétique. Mais ce ne sont point là des traits pertinents, obligatoires, dans le *haïku* traditionnel (qui se perpétue de nos jours avec une vitalité dont certains Européens sont stupéfaits).

D'autres ont essayé de le définir à leur guise : pour Ezra Pound c'est avant tout «the one image poem», le poème d'une seule image ; il se peut ; toujours est-il que ce n'est jamais inclus dans les définitions officielles du *haïku* au Japon. Dans *La Nouvelle revue française* de septembre 1920, Paulhan empruntait à B.H. Chamberlain la notion d'«épigramme lyrique». «Epigrammes impressionnistes», plutôt, dira plus tard René Sieffert dans l'*Encyclopaedia Universalis* (2). A quoi Maurice Coyaud objecte pertinemment : «Rien à voir avec nos épigrammes» (3). Bien que Jacques Roubaud, qui s'y connaît, non seulement parle des « trois vers » du haïku (comme hélas Maurice Coyaud : « trois vers, c'est tout ») mais aussi, reprenant la formule de Pound : « La goutte d'une image unique » (4), cette image unique, je le maintiens, n'est pas le propre du *haïku*, même si la concision de ce poème en fait souvent une image unique ; à quoi j'opposerais maints poèmes français qui, bien plus longs que le *haïku*, filent une image unique.

Mais pourquoi dissimulerais-je ma déception quand je constate que l'ouvrage le meilleur dont nous disposions en français sur le *haïku*, celui précisément de Maurice Coyaud, d'une part se soucie comme d'une guigne du syllabisme de ce monostique, qu'il n'hésite pas à insérer une rime (puisqu'aussi bien, pour lui, le *haïku* est un tercet : à preuve ceci, de Verlaine, qui lui semble être un *haïku*, — du moins très peu s'en faut :

> Les sanglots longs
> Des violons
> De l'automne

(2) Vol. IX, p. 356 C.
(3) *Fourmis sans ombre. Le livre du haïku*, Paris, Phébus, 1978.
(4) *Le Nouvel Observateur*, 20 octobre 1980.

«Voilà presque un haïku» (5)) ; d'autre part se moque éperdument du *kireji* : «je ne traduis pas les kireji» (6), alors que nos deux points, ou le tiret rendent assez bien la césure en question ; enfin, reproche aux traducteurs de ma sorte d'employer en français des articles qui lui semblent autant de «chevilles» (7). Ce qui ne l'empêche pas de proposer d'un haïku la version suivante (8) où je compte une rime et trois articles dont un contracté :

> Montagne. Rafale
> La grêle s'engouffre dans les oreilles
> Du cheval.

La, les, du [de *le*] ne seraient donc point des chevilles, tandis que mes articles en sont d'inadmissibles dans mes deux versions de *Furu ike ya*, dont il cite l'une, la moins bonne à mon sens ?

> Une vieille mare —
> Une raine en vol plongeant
> Et le bruit de l'eau

dont j'ai remplacé la troisième séquence par

> Et l'eau en rumeur

qui maintient à leur place les deux mots japonais (*mizu* = eau) (*oto* = bruit, grondement, etc.) : *mizu no oto* (*no* marquant le génitif). Il me cite du reste inexactement, car je ne refuse point de traduire les *kireji*, et j'avais rendu par un tiret le *ya* de *Furu ike ya*

> Une vieille mare —

En tout cas, ce Coyaud, dont je fais grand cas, ne me fera jamais découvrir dans les trois vers de Verlaine qu'il tient pour un quasi *haïku* quoi que ce soit qui s'y puisse comparer. A cause du mot saison : *automne* ? Mais Coyaud, qui classe quelques *haïkus* par *saison* dans son étude, n'accorde guère plus de crédit au *kigo* qu'à ce *kireji* qu'il décide de ne jamais traduire. Le syllabisme n'est pas celui du *haïku* et les rimes sont absolument incompatibles avec le monostique.

Telles étant les difficultés qu'oppose le *haïku* à tout Français qui ose tenter d'en restituer en sa langue les traits absolument et décisivement pertinents : syllabisme, *kireji* et *kigo*, comment

(5) *Loc. cit.*, p. 25.
(6) et (7) *Ibid.*, p. 53.
(8) *Quelques essais de littérature universelle*, Paris, Gallimard, 1982, p. 127.

voudriez-vous qu'un homme tel que Guillevic, dont je ne sache pas qu'il se soit jamais appliqué à entrer dans l'esprit d'un *haïjin*, à s'interroger sur la facture du *haïku,* puisse passer chez nous pour un auteur de *haïkus* ?

Ou alors il faudrait admettre que, sous prétexte que, durant quelque temps, la *grenouille* joua chez les *haïjins* un rôle quasi rituel, celui-là devient automatiquement *haïjin* qui emploie chez nous le mot *grenouille :*

> La grenouille
> Se souvient
> Qu'elle doit chanter

Les capitales : L, S, Q prouvent que Guillevic perçoit chacun de ces trois éléments comme autonome : comme, disons, un *vers.* Où donc le *kireji* ? Ces trois vers doivent se lire sans un temps d'arrêt dans la voix ; ou alors il faut prononcer le français comme tant d'illettrés annonceurs de la télé, qui séparent l'article du substantif, le sujet du verbe, et tout à l'avenant. Essayez donc de mettre : ou un — après *grenouille.* Rien ne va plus dans le *tercet* de Guillevic. *Tercet,* je dis bien. Nous avons ici un *tercet,* tel que le conçoit, le construit le poète français. Non point un *monostique.*

Il y a plus. Le ton de Guillevic, son propre en poésie, n'a rien à voir avec ce à quoi s'efforcent les *haïjins* et sur quoi s'accordent assez bien les théoriciens japonais du *haïku :* leur idéal, en l'espèce, serait le *yūgen,* que Maurice Coyaud traduit : « mystère ineffable » (9).

Encore convient-il d'éviter la mystiquerie en vogue. La théorie du *Nô* emploie aussi le mot *yūgen,* qui, avec la « fleur », en constitue l'essence : or Katō Shuichi considère le *yūgen* comme « la beauté projetée par l'acteur en scène » (the beauty projected by the actor on stage (10)) ; il précise quelques lignes plus loin que le *yūgen* se réfère à la qualité intime de l'acteur et se manifeste par un costume gracieux, l'élégance et la noblesse du langage (« the *yūgen* refers to the actor's inner quality and is reflected in graceful clothing, elegance and gentleness of speech (11) »). Alors que le *haïku* exprime très souvent une

---

(9) *Loc. cit.,* p. 11.

(10) et (11) *A History of Japanese Literature The First Thousand Years,* London and Basingstoke, The Macmillan Press Ltd, 1979, p. 311. Pour Patrick Le Nestour, le *yūgen* « is at the same time secret, profound, somber, abstract and sublime », in *The Mystery of Things,* New York, Tokyo, John Weatherhill, Inc., 1972, p. 134.

« illumination momentanée », pour reprendre les termes de R.H. Blyth, les disciples de Bashô parlaient, eux, de *fueki-ryûkô* « invariance et fluidité » (12). Ne pas s'imaginer pour autant que le *haïku* soit l'expression poétique de la métaphysique du bouddhisme, car la définition qu'en donna lui-même Bashô coïncide parfaitement, c'est Jeannine Kohn-Etiemble qui me le fit observer, avec celle que James Joyce l'athée, le bouffeur de curés (irlandais ou autres), donne de ses moments de grâce, de ses *épiphanies* (dont il emprunte le nom à la théologie catholique en même temps qu'au grec classique). Il n'est donc point malaisé à un Européen, un Américain du Nord ou du Sud, et pourquoi pas à un nègre familier de ce que Frobenius appela : le « saisissement », de vivre mille de ces moments que les Japonais fixent par milliers *en un jour* (dans le cas d'Ihara Saikaku, selon témoignages dignes de créance).

Et voilà, ce me semble, qui permet de comprendre pourquoi il n'est guère de pays, aujourd'hui, qu'il se réclame du capitalisme d'Etat ou de celui des multinationales, où ne fleurisse le *haïku*, où ne grouillent les soi-disant *haïjins*. (13).

Eh bien, il se trouve que Guillevic ni ne se prend pour un *haïjin*, ni n'écrivit de *haïkus*. Ce qu'il faut maintenant tenter de démontrer.

Oublions les *Trente et un sonnets* que lui conseilla jadis sa fidélité d'alors à son Parti, aux oukases d'Aragon sur le sonnet comme intellectuelle au Parti. Aragon souhaitait alors la forme fixe ; il approuva l'œuvre de Guillevic. Examinons les autres titres des recueils publiés avant 1977 : *Terraqué, Exécutoire, Gagner, Carnac, Sphère, Avec, Euclidiennes, Ville, Paroi, Inclus*. Trouvez-y, je vous en défie « invariance et fluidité » : variété plutôt, sécheresse minérale, géométrie. Je sais bien que Paulhan s'égara quelques jours à souhaiter au *haïku* le succès « qui vint en d'autres temps au madrigal, ou bien au sonnet », comme s'il y eût autre chose en commun que des exigences formelles, très diverses du reste, entre les trois genres en cause. Dans cette hypothèse les *Trente et un sonnets* de Guillevic, par leurs exigences formelles, auraient quelque chose de commun avec les rigueurs formelles du *haïku*. C'est jouer sur les mots, négliger le propre du *haïku*, ses principaux traits pertinents. Dont l'un encore doit être signalé : très souvent le *haïku* « est serti dans un texte de prose poétique, ciselé avec le plus grand soin, qui le prépare et le met en valeur ».

(12) Article *Bashô*, in *Encyclopeadia Universalis*, Vol. 3, p. 23 B.
(13) Sur cette épidémie de *haïkus*, j'ai déjà publié plusieurs articles.

Alors, alors seulement intervient ce que Maurice Coyaud appelle, lui « la saisie éphémère d'un instant » (14). Bref : *L'éphiphanie*. Voir l'*Oku no hoso michi* de *Bashô*, *La sente étroite du bout du monde*, que traduisit René Sieffert et que le Père Jacques Bésineau, S.J., publia lui aussi, mais au Japon, sans lieu ni date, sous le titre suivant : *L'étroite route d'Oku*. C'est là qu'est inséré un des plus fameux haïkus du maître Bashô :

> Natsugusa ya
> tsuwanmono domo ga
> yume no ato

d'autant plus intéressant que non seulement il s'inscrit en effet : dans l'itinéraire et sur le site d'un paysage fameux par de cruels combats, mais qu'en outre il ne fait que transposer à la japonaise, dans une forme japonaise, de très célèbres textes poétiques de la Chine. Notamment ce vers entre tous connu de Tou Fou

> Kouo p'ouo chan ho tsai

« L'Etat détruit, il reste monts et fleuves », et ces deux autres vers du même poète :

> Il se peut qu'une fille épouse son voisin
> Un fils est destiné à périr dans les herbes

Dans les herbes traduit le chinois *pai tsao* 百草, cliché régulièrement associé à la mort des guerriers.

Sur ce *haïku* entre tous fameux de Bashô, j'ai dirigé à la Sorbonne un séminaire où nous examinâmes une vingtaine de traductions de ce monostique, dont il est évident qu'il constitue non seulement une « illumination », une « épiphanie » mais un « intertexte » (on eût dit autrefois : une allusion littéraire, voire : une imitation). Ce n'est pas ici le lieu de reprendre en détail la critique des diverses versions en plusieurs langues indo-européennes. Suffise qu'on sache que la première séquence est aisée à rendre mieux que passablement :

> Herbes de l'été :

---

(14) Bashô *Journaux de voyage*, Paris, Publications orientalistes de France, traduction de René Siefert, 1976. *La Sente étroite du bout du monde* parue dans *L'Ephémère*, n° 6.

(15) *Loc. cit.*, p.15.

mot à mot : de l'été (*natsu*) herbe *gersa* (sans indication de nombre) [*ya*] (*kireji*) que restituent ici, très bien, les deux points. La seconde séquence, elle, se signale par l'emploi d'un mot de connotation archaïque *tsuwamono* : quelque chose comme *vaillants guerriers*, et d'une forme, *domo*, qui indique un pluriel intensif ; n'y ayant pour les substantifs japonais ni singulier ni pluriel, l'emploi de *domo* entend marquer le grand nombre des guerriers en cause, de sorte que *nombreux* permettra de transposer correctement ; quant au *ga*, c'est une marque du génitif, signifiant que la denrière séquence :

yume no ato

mot à mot : songe (*yume*) de, ou d'un (*no*) trace, vestige (*ato*), a pour complément la seconde séquence tout entière, selon un schéma en japonais constant. Dans cette langue, l'ordre normal des mots serait donc : *vaillants guerriers nombreux de songe de vestige*. Bref : exactement l'ordre inverse du français normal : *vestige d'un songe de nombreux vaillants guerriers*. Mais si l'on veut tant soit peu restituer la valeur littéraire et le choc émotif proposés par le japonais, on ne peut s'en tenir à ce renversement, car il est patent qu'il importe qu'au premier groupe de mots réponde le dernier, avec, in fine, *vestige*, ou *trace*.

Aucune horreur, par conséquent. Rien que le cycle de l'azote et la condition normale du guerrier selon le *bushido*. Au lieu du *pulvis es et in pulverem reverteris*, le Japon, moins pessimiste, dirait donc en latin d'Eglise : *pulvis es et in herbas reverteris*. Tout un charnier, et quel ! quand on connaît la bataille à laquelle ici fait allusion Bashô, tout un charnier en dix-sept syllabes. Le *To die, to sleep* devient ici un sommeil doté de rêves..., le contraire de la mort.

A qui ferez-vous admettre que *Les Cahiers* de Guillevic que je publiai dans *Valeurs* (16), aient quoi que ce soit de commun, soit idéologiquement, soit formellement, avec *Natsu gusa ya*, qui traite du même sujet (à cette réserve près qu'il s'agit ici de charniers guerriers, là des charniers civils entassés par les nazis).

Les deux premiers vers à eux seuls interdisent toute analogie :

Passez entre les fleurs et regardez :
Au bout du pré, c'est le charnier.

Un décasyllabe que suit un octosyllabe séparé par les deux points qui jouent exactement ici le rôle du *kireji* : *ya* dans le *haïku* japonais ; mais alors que le *kireji* japonais identifie la

(16) N° 3, pp. 5-10.

première séquence aux deux dernières, chez Guillevic les deux points isolent farouchement, douloureusement, des « fleurs », dont l'équivalent japonais serait « herbes de l'été » (et pourquoi pas en fleurs ?), quoi ? « le charnier ». Ici, plus question de paisible sommeil où l'on rêve d'herbes en fleurs. Ici, c'est un tableau de Goya, bien plutôt que le *Guernica* de Picasso. Ici, ce sont les horreurs détaillées qu'offre aux yeux du poète le spectacle d'un authentique charnier.

Là même où un esprit ingénieux, obstiné à transformer Guillevic en *haïjin*, m'opposerait la séquence :

> Il y a des endroits où l'on ne sait plus
> Si c'est la terre glaise ou si c'est la chair,

je répliquerais que la « terre glaise », que depuis vingt ans je travaille dans mon jardin, n'a rien à voir poétiquement avec les herbes de l'été : elle ne fait que restituer visuellement l'analogie entre les chairs putréfiées et ce vestige non pas d'un songe, mais de pourriture ancienne qu'est aussi la « terre glaise ».

Enfin, les dernières séquences des *Charniers* nient expressément tout le contenu de *Natsu gusa ya* :

> Ici
> Ne repose pas,
>
> Ici ou là, jamais
> Ne reposera
>
> Ce qui reste
> Ce qui restera
> De ces corps-là.

Et cherchez donc dans les *haïkus* un recueil qui, comme *Euclidiennes*, se propose de mettre « en vers » les rapports de Guillevic avec la géométrie, depuis l'école et jusque dans les trop familiers cauchemars ! Lors même qu'en *trois vers* hexasyllabiques, que sépare, après le second, un point qu'on pourrait à la rigueur considérer comme un *kireji*, et qui, formant des ensembles de dix-huit syllabes (ce qui advient parfois au *haïku*) ont en apparence deux des traits pertinents de ce genre japonais, la présence ici d'un triangle isocèle, là d'un triangle équilatéral, sont incompatibles avec le *haïku* :

> Je suis allé trop loin
> Avec mon souci d'ordre.
> Rien ne peut plus venir.

Plutôt que de l'*épiphanie*, la poésie surgit en l'espèce de la logique même, et, mais oui ! de la géométrie. Serait-ce hasard si

Queneau et Le Lionnais, excellents mathématiciens, l'un et l'autre, sont férus de poésie, capables de poésie ?

Enfin, et pour en finir, car je pourrais aussi bien écrire cent pages pour montrer tout ce qui des *haïjins* sépare notre Guillevic, poète de l'ascétisme verbal le plus souvent, comment ne pas citer cet anti-*Natsu gusa ya ; anti,* de fait, sinon d'intention ; (le fût-il d'intention, ça prouverait au moins que Guillevic se soucie de la poétique du *haïku.* Mais lisez-moi, dans ce recueil de poèmes dont certains ont un ton qui me semble écologique, ce dont je ne sache pas que Guillevic se soit formalisé, dans *Etier,* donc, lisez-moi cette *Image,* et dites-moi si elle n'est pas, forme et thème, la négation délibérée en fait, du *haïku* auquel je me suis longuement référé :

— IMAGE

Sous les herbes, ça se cajole,
Ça s'ébouriffe et se tripote,
Ça s'étripe et se désélytre,
Ça s'entregrouille et s'entrefouille,
Ça s'écrabouille et se barbouille,
Ça se chatouille et se dépouille,
Ça se mouille et se déverrouille,
Ça se dérouille et se farfouille,
Ça s'épouille et se tripatouille,

Et du calme le pré
Est la classique image.

Sinon la forme du *haïku* de Bashô, dont ce poème de Guillevic serait la négation, du moins l'esprit en tout cas de *Natsu gusa ya,* devinez où je l'ai trouvé ? Allons ! je serai bon bougre, je ne vous mettrai point à la question. Voici le texte : « Un champ rouillé, quelques gerbes en tas, trois ou quatre coquelicots qui tremblent — du sang qui est remonté par une tige d'herbe », voilà bien le saisissement, voilà bien l'*illumination,* voilà bien l'*épiphanie.* C'est signé Jules Vallès, et ça se lit à propos du *Champ de bataille de Waterloo,* texte refusé par Pierre Larousse pour son Dictionnaire encyclopédique. Voyez Jules Vallès, collection La Pléiade, T. 1er, p. 1092.

ETIEMBLE
Décembre 1982-janvier 1983

P.S. 4 février 1983. Encore un document qui prouve à quel point l'esprit, la sensibilité des poètes français sont encore étrangers à la poétique des *haïjins :* dans l'essai de Jeannine Kohn-Etiemble qui vient de paraître (1982) : *Rapports problématiques entre le thème de l'errance formatrice, ses composantes canoniques, et la réalité des diverses conditions humaines,* in *Trois Figures de l'Imaginaire littéraire : les odyssées, l'héroïsation des personnages historiques, la science et le savant,* Actes du XVIIᵉ congrès (Nice, 1981) de la Société française de Littérature générale et comparée, recueillis et publiés par Edouard Gaède, préface de Daniel-Henri Pageaux, Les Belles Lettres, coll. Publications de la Faculté des Lettres et Sciences Humaines de Nice, nº 22 (première série), je lis, note 17, p. 20-21, à propos justement de *Natsu gusa ya,* et pour illustrer cette difficulté qu'ont les consciences occidentales à se résigner avec simplicité au cycle de l'azote : « Voyez, dans André Gâteau : *Les Figurines du silence,* Rodez, Subervie, 1982, ce poème dont le sujet, mais non le sens, semble emprunté à ce *haïku* de Bashô :

> « Il reste quelques pierres, là
> Où campait Labienus...
> Tout autour ce ne sont que des champs
> Labourés et d'autres qui verdissent.
> Sur la glèbe on voit des corbeaux.
> Ils cherchent leur nourriture
> Dans la terre où les morts sont dissous.
> On les entend qui croassent
> Comme invoquant les mânes
> Des soldats de César. »

SERGE GAUBERT

ÉCRITURE — CHEMIN

Plusieurs poèmes de Guillevic disent le chemin d'écrire, la rencontre du poème et sa nécessité. Ils n'en sont pas pour autant plus ouverts sur le secret de leur propre genèse. D'où venus ? De quel mot ou de quel émoi ? Par quelles étapes passés avant de se fixer dans cette forme, au creux du silence blanc de la page ? On peut, pour répondre, tenter de retrouver les états du poème. Ces « états d'avant », et, d'étape en étape, refaire son histoire. Le recomposer. Pas sûr, nous le verrons, que la méthode soit bien facile à appliquer aux textes de Guillevic. On peut aussi espérer qu'à bien comprendre — ou entendre — comment il est composé on obtiendra quelque lumière sur la façon dont il fut composé. Non plus éclairer le texte par l'avant-texte mais, à l'inverse, demander à la forme achevée d'avouer l'élan — ou la logique — qui la porta. Retour amont. C'est ainsi que je vais procéder à propos du poème qui a été le plus souvent cité dans les études de ce livre et dont le titre déjà provoque à question. « Chemin ». Pour quelle rencontre ? Celle de l'homme « aux joues de qui les pierres furent froides » avec le monde ? Celle du poète avec le poème : cette « voix qui peut venir avec son corps » ? Ou celle du poème avec lui-même ?

CHEMIN

à André Frénaud

1   Auprès d'une eau trouvée
Dans un ruiseau de mai,

La douceur était là,
Qui manquerait.

*

2   Vous étiez entre vous, buissons.
      C'était permis.

*

3   Envers les puits la lune
      Avait de la pitié,

      Mais entre les bois
      Les prés criaient

      Et par la lumière de la lune
      Revenaient leurs cris.

*

4   A la lumière de la lune
      Quelle mesure demander ?

*

5   Bonnes à toucher :
      La feuille du noisetier,
      L'eau dans l'ornière,
      La mémoire de la violette.

*

6   La courbe que l'oiseau
      Va suivre s'il s'envole.

*

7   Quand la bruyère encore
      Entre soleil et soir
      Se gardait de bouger,

      Le ramier
      Ne fut pas de trop.

*

8   Une voix
      Peut sortir du bois.

      Peut-être déjà
      Voudrait-elle venir

      Avec son corps.

*

9   Entre la lune et les buissons
Il y a une longue mémoire
Et des souvenirs de corps qui s'aimèrent,

Mais qui maintenant
Sont devenus blancs.

*

10   L'étang doit savoir
Et sous la lumière de la lune
Il en dort mal.

*

11   Pierres froides pour les joues de l'homme.
Pierres froides sous le cou de l'homme.

*

12   Ecoutant le vent, lui,
Ecoutant la lune,

Ecoutant vos dires,
O buissons malgré l'étendue.

*

13   L'eau coule plus bas
Raconte pour qui sait entrer.

Le froid
Est ouvert toujours.

*

14   Quoi lui échappe et fait
Qu'il n'est pas d'ici ?

Exilé même
Du pays des larmes.

Espèce d'otage
Désigné, oublié.

*

15   Que ses regards posés
N'arrêtent pas les couleurs.

16   Repliées ou qui se replieront
Sur le temps qui leur est épais et donné,
Des bêtes.

Plus ou moins dormant —
Mais dormir ?

Douces au toucher, souvent,
D'autres comme les rochers.

Toutes, quand elles regardent,
Avec des yeux pires que l'étang.

17   Cherche au bout du chemin
Une vieille maison dans son peu de lumière.

Qu'elle résonne comme ayant la mesure
Lorsque la lune est avec elle.

18   Qu'il y ait dans cette maison
Une femme sans emploi,

Ce regard
Où le soleil a calmé la lune

Et des seins pour votre gloire.

19   Pervenche, pervenche,
Dis-le-lui, prédis-le-lui

Que cette fois,
Ce n'est pas pour qu'on l'écarte.

20   Toute la terre en parlant
Viendrait à lui par le noisetier.
Toute la terre en tremblant
Viendrait à lui par ses yeux à elle.

21   Alors il pourra boire, après,
Et rire avec les gens du pays,

Peut-être sourire
Au milieu des gens du pays,

Comme les corps trop blancs ne font plus,
Comme font parfois les buissons,

Lorsque la lune a vaincu le vent
Et qu'ils sont entre eux,

Tolérant le lièvre
Et les rêves de quelques pierres.

*

22   L'amour qu'il a lui donne
        Un autre aspect des fleurs.

*

23   Souriant pour ceux du pays et pour lui
        Qui fut reçu,

        Quand la lune accompagnait les buissons,
        Que dormaient plus ou moins les bêtes.

        Dans leurs yeux pires que l'étang
        Apporter la douceur
        De l'eau du ruisseau de mai,

        Et que les corps trop blancs
        N'aient plus si froid hors des buissons,

        Que la lune s'enchante à la courbe de l'oiseau,
        Que le répit s'étende aux prés.

*

24   Le lendemain d'une longue journée de travail,
        Dans le matin de fraises des bois et d'alouettes,
        Le soleil plus pressé que lui,

        Il savait ce que c'est
        Que bien dormir.

*

25   Vers l'avant ni vers l'arrière
        Le chemin ne s'arrête là.

        La lumière de la lune
        N'a pas abdiqué.

        Pour les joues de l'homme
        La pierre encore peut être froide

Et sa bouche crier
Comme font les prés.

Ce poème, dédié au poète-ami Jean Frénaud, a été écrit en 1959. A la fois preuve et témoignage d'un retour de Guillevic dans le domaine dont il s'était écarté, il paraît immédiatement appeler une lecture « biographique ». Au passé antérieur : ce temps où « la douceur était là » a succédé une période de glaciation — attente et exil — heureusement éclairée un jour (le présent du texte) par un nouveau printemps. De l'ancienne douceur au sourire, à l'amour et au « bien dormir » par l'étape des grands froids et des « bêtes aux yeux pires que l'étang ». A vrai dire, à bien entendre le poème, on sent que la distinction de ces étapes n'est pas aisée, parce que le cours du texte n'obéit pas essentiellement à la logique du récit. A cela plusieurs raisons : souvent l'unité poétique, cet ensemble constitué ici de deux à onze vers que, depuis *Du Domaine*, le poète nomme quanta et que je préférerais appeler « pièce » (pièce de vers et pièce d'un système) joue comme élément du poème mais aussi sur et pour elle-même, hors histoire. Comment situer dans le fil du récit l'infinitif « demander » dans

A la lumière de la lune
Quelle mesure demander ?

La dernière pièce du poème présente d'autre part ce chemin comme nécessairement inachevé, toujours à refaire. Et le temps du parcours comme un temps de retour. Il y a enfin que la loi d'enchaînement des pièces est d'abord musicale. Comme elles sont les unes par rapport aux autres dans une relation à la fois d'autonomie et de dépendance, ces pièces peuvent paraître former selon les lecteurs et selon les lectures des ensembles différents. Reste que dire musique c'est dire mesure (cette « mesure » dont il est précisément question dans le texte) et que le jeu des nombres est incontestable.

« Chemin » est composé de 25 pièces dont la dernière se détache visiblement des autres comme une conclusion, un retour plutôt sur l'ensemble de ce poème. Quatre distiques dont chacun reprend une expression du texte et renvoie rétrospectivement le premier (« chemin ») à la dix-septième pièce, le troisième (« pierre froide... ») à la onzième, le quatrième (« après », « crier ») à la troisième. Ces vocables-charnières, le poète a fortement marqué leur entrée dans le texte (entrée qui, pour « l'homme », se situe au milieu du poème : 11e et 12e pièces). Dans les deux cas, il insiste par rime ou reprise :

Les prés criaient
Et par la lumière de la lune
Revenaient leurs cris
...

Pierres froides pour les joues de l'homme
Pierres froides sous le cou de l'homme.

Les huit derniers vers nous font donc prendre le texte à rebours.
Le retraverser. Le fin-mot, le mot de la fin, c'est encore le mot
premier. «Vers l'avant ni vers l'arrière / Le chemin ne s'arrête
là». Je n'ai rien dit du deuxième distique : «La lumière de la lune
/ N'a pas abdiqué». C'est que, si les autres expressions
reprenaient un passage unique et facilement identifiable du poème,
«la lumière de la lune» reparaît à plusieurs reprises dans les
vingt-quatre pièces (3e, 4e, 10e), la «lune» intervenant à sept
moments (3e, 9e, 12e, 17e, 18e, 21e, 23e). Le thème nocturne, au
sens musical, est celui que le poète explore ou exploite le plus et
qu'il présente avec les variations les plus riches. C'est au point
qu'on dirait que le texte ordonne autour de lui ses autres motifs.
À la relecture du poème on peut en effet distinguer sept
moments, ou plutôt sept phrases musicales ; chacune de celles-ci
reprenant le thème nocturne mais modifié par le contexte ou
«l'accompagnement». La première comprend les pièces 1-2 et 3,
la seconde les pièces 4-5-6-7-8, la troisième les pièces 9-10-11, la
quatrième les pièces 12-13-14-15-16, la cinquième les pièces
17-18-19-20-21, la sixième les pièces 23 et 24, la septième la
pièce 25. Chacune de ces phrases s'achève sur un vocable que
tous les lecteurs de Guillevic reconnaîtront comme un vocable
pour lui majeur : la première sur «cris», la seconde sur «corps»,
la troisième sur «homme», la quatrième sur «étang», la cinquième sur «fleurs», la sixième sur «bien dormir», la septième,
qui est encore la première, sur «prés» (qui crient). Points
d'orgue. De ces sept phrases j'ai déjà dit comment la septième
(limitée à la 25e pièce) faisait écho et reprise. Les six qui se
partagent les 24 pièces précédentes vont deux par deux et
composent trois mouvements de tonalité et de sens très différents.
Le premier mouvement s'achève avec la 8e pièce : mouvement de
l'ambiguïté, de la balance entre l'horreur et la joie, de l'interrogation, du «peut-être». Aucune référence à une première personne.
Le second centré autour de «l'homme», repris par «lui», est
celui du froid, de l'étang, du «mal dormir». C'est le mot
«corps» qui fait passage et rupture entre le premier et celui-ci :
corps attendu et qui peut venir dans un cas ; «corps devenus
blancs» dans l'autre. Le troisième mouvement oppose aux

« yeux » pires que « l'étang » une pièce qui associe : « chemin », « maison », « lumière » et « mesure ». C'est le mouvement de l'ouverture, de la communication heureuse et du sourire, du « bien dormir », de la lune amie de la maison. Le texte joue alors sur les pronoms de la seconde et de la troisième personne. Ces trois mouvements se distinguent aussi formellement. Les motifs qui s'exposent séparément dans le premier et plus encore dans le second mouvement font symphonie dans le troisième, en particulier dans les pièces 21 et 23. La vingt-troisième reprend en bouquet les expressions qui étaient apparues dans un contexte beaucoup moins euphorique. La douceur du ruisseau de mai gagne les yeux pires que l'étang ; les corps trop blancs retrouvent vie, le pré passe du cri au répit. Apothéose illuminée par une lune qui « accompagne » et « s'enchante ». Dans le même ordre, qui n'est pas ordre d'idées, la prosodie se modifie. Les deux premiers mouvements sont composés de tétrasyllabes ou d'hexasyllabes, le troisième multiplie les décasyllabes avec même, dans les pièces 23 et 24, des alexandrins

Que la lune s'enchante à la courbe de l'oiseau.
...
Dans le matin de fraises des bois et d'alouettes.

Le poème dit moins la découverte du « chemin » qu'il ne s'ordonne lui-même comme parcours musical ; construction symphonique, aménagement d'un espace de la rencontre, tracement de courbes (la courbe que fait l'oiseau) entre des pôles d'abord opposés. Poème-chemin toujours à reprendre car il faut toujours travailler à refaire accord, « La lumière de la lune n'a pas abdiqué. » On n'en a jamais fini avec les discordances, avec les cris, jamais fini de les convertir en paroles et en poèmes.

Cette rapide analyse de forme conduit à deux observations. Le poète a donné grande importance aux mesures, et à la mesure, nombres et rythmes. Il a d'autre part fortement assuré la liaison, thématique, sémantique et musicale, entre les différentes pièces. Il a compté et composé, il a ménagé des silences et des échos ou reprises. Ecart, accord. Chaque pièce du poème peut ainsi être considérée à la fois comme forme fermée et comme forme ouverte, faisant terme et portant germe. Pour prendre la première il est clair qu'elle est construite en boucle, retournée sur elle-même. La postposition de la relative permet d'opposer en fin de premier et de quatrième vers les deux verbes « trouver » et « manquer », le troisième vers répond par un double « la » (La douceur était là ») aux deux indéfinis (un, une) du premier distique (une eau, un ruisseau). Fermée sur elle-même cette pièce est aussi telle que sur elle une suite puisse prendre élan. Entre présence et manque d'une part, et d'autre part entre les deux marques temporelles d'un passé (était) et de son futur (manquerait) s'ouvrent divers possibles. Peut-être des précisions entre manque et présence, peut-être, entre autrefois et plus tard, un récit. La même remarque est appelée par la troisième pièce. Phonétiquement les six vers font boucle, avec la reprise du mot « lune » et le retournement du mot « envers » en « revenaient » mais l'hésitation où nous laisse cette pièce à propos de l'intervention de la lumière lunaire, pitoyable pour les puits mais porteuse de cris est source de la question qui ouvre la quatrième pièce et le deuxième mouvement du texte. C'est du reste cette ambivalence du thème lunaire qui explique que le poème revienne à celui-ci, à chacune de ses reprises les plus fortes (pièces 9, 12 et 23).

Le poème avance ainsi sur lui-même de pause en reprise, par adjonction à une partie déjà construite, équilibrée, (avec pierres d'attente) d'une partie nouvelle, homogène à la première. On peut donc penser que le lecteur progressant dans le poème parcourt les étapes que le poète rencontra successivement dans la composition de son poème. Le chemin de la lecture reprend celui de l'écriture. Cette hypothèse gagne en vraisemblance lorsqu'on observe les manuscrits d'autres poèmes de Guillevic. Celui d'un poème plus récent « Crapaud » par exemple.

Où le crapaud
A-t-il donc pris ce goût

De ce qu'il rejette
Du ~~bord~~ Les mares ?
    bord
        33

~~De ce qui est
le goûte que le piège
~~toutes ces couleurs,~~
~~de ça t'ressemble ?~~
De~~ç~~~~...~~~~...~~~~.~~~~.~~~~~~~~~~~

Voici le soir,
Voici la nuit
Quelque peu de lueur
~~Petit à peu~~ Une éclaircie,

Et le crapaud se dit
De parler d'autre chose.
    24

On dirait que c'est l'eau,
Présente ou rêvée,

Qui fait au crapaud
Cette exigence

De lui pardonner, à elle,
Et de le ~~dit~~~~re~~~~dire~~ dire
Et de le répéter.

Il n'en revient pas
    36

19.1.78 – 4

19.1.78 – 5

19.1.78 – 6

Le poète a composé le poème pièce par pièce, chacune étant achevée, à très peu près, avant que la suivante soit entreprise. Pas de tremblement apparent de la main. Rien qui ressemble à cette recherche buissonnante, brouillonne qui, multipliant les lignes, superposant les esquisses semble ne pas savoir d'abord autour de quel détail, de quel mot tout à coup apparu, cristalliserait le poème. Les manuscrits de Guillevic sont assez décevants pour l'archéologue en poésie, beaucoup plus que ceux de Jean Follain par exemple. On dirait que le poème trouve immédiatement son ordre, ses espaces et sa mesure. Chaque pièce est fixée dans l'espace de la page, en silence. Lorsqu'il a mis un terme à son « travail », le poète date (le jour et parfois l'heure) et signe d'une initiale : G. La signature comme signe d'achèvement. Fin provisoire ou fin définitive ? Sans doute ne le sait-il pas au moment où il laisse son texte. Quand il le reprend, c'est à partir de cet état, achevé-inachevé, qu'il compose à nouveau ou met le point final. Le second naît toujours du premier. L'ordre est donné et le poète numérote les parties. La forme à venir ne peut venir que de la forme fixée. Peu de remords ; des suppressions (les trois premières pièces et, les quatre dernières de « Crapaud »), des retouches, pas de refonte. Le poème avance en assurant à chaque étape sa prise. Sa croissance ressemble à celle de l'arbre ou, plus simplement, à la progression du marcheur qui doit refaire à chaque pas son équilibre avant de le perdre à nouveau. De là vient que Guillevic combine si heureusement brièveté et longueur, qu'il ait la science des haltes et le goût des parcours (des processions de reposoir en reposoir). De là aussi (mais où est la cause ? où la conséquence ?) qu'il aime les perspectives ouvertes sur des paysages, ou sur des interrogations, inépuisables. Dont le point de fuite s'éloigne comme l'horizon à mesure qu'on s'en approche. Parler de la mer à Carnac, ou de la mort, de la ville ou de la paroi, ou de l'hiver, c'est entrer dans un chemin aux innombrables stations — il y a tant à dire — mais un chemin qui ne s'achèvera jamais. Et le poème multiplie les prises (prises de parole, prises de vue, prises pour se tenir aussi), il lui arrive souvent de s'appuyer sur une série : les figures géométriques d'*Euclidiennes* pour dire la relation à l'espace, ou, pour définir la création poétique, la série des « disciplines », « Éthique », « Optique », etc. (*Avec*, p. 77 sq.) ou sur une formule récurrente (dans « Bergeries », *Autres*, p. 41 sq.). Série donnée a priori, formule répétée qui fixent des stations sur un chemin dont on pourrait bien ne jamais voir le bout. A la vingtième station d'un voyage à travers l'hiver (*De l'hiver*, Galanis, 20) une constatation :

> Voici

> Que je ne sais plus rien de l'hiver
> Que je suis coupé de lui.

et une conclusion :

> Je peux me dire
> Que l'hiver est un réservoir

> Et me relire
> Pour en savoir plus.

L'hiver, comme la mort ou la mer ou le rocher ou l'autre ou soi, réservoir, répertoire inépuisable. Et le poème s'achève sur un retour au poème. Une fois parcouru le chemin d'écrire, il reste celui de lire, de relire, car

> Vers l'avant ni vers l'arrière
> Le chemin ne s'arrête là.

Serge GAUBERT

173

BRUNO GELAS

LE « TRAVAIL »
DE LA CONCENTRATION

Remarques sur un poème de *Terraqué*

Ce fut souvent relevé dans les études qui précèdent : le rapport de Guillevic aux choses ne traduit aucune intention descriptive, et rien ne lui est plus étranger que l'attirance pour le paradigme qui déroulerait les attributs successifs — même limités et choisis — des éléments du monde qui l'appellent au poème. Parce qu'il s'agit d'un rapport, justement, celui-ci exclut aussi bien la distanciation descriptive que l'abandon au flux et au flou des sensations et des perceptions mêlées. Et parce que ce rapport ne s'établit que dans et par l'écriture, cette dernière apparaît comme un travail de concentration (ainsi est-il significatif que le terme de « Conscience » revienne dans plus d'un recueil, pour servir de titre au regroupement de diverses pièces). Plutôt que de poème bref — car il n'est pas rare de lire des suites qui s'étendent sur plusieurs pages et la poésie de Guillevic, d'autre part, répugne à cette forme de brièveté par indéfinition qu'est le fragment — il faut parler en l'occurrence d'une écriture ramassée sur elle-même, attentive à sa scansion interne, à la gestion des mots, des sonorités et des blancs, aux reprises et aux échos, bref : à toutes les procédures, de natures très diverses, qui font que le cheminement de Guillevic ne procède jamais qu'en *marquant et assurant chaque fois le pas*. Quelque chose — quelque forme — qui conjoigne la calme lourdeur et la sagesse du terrien de Carnac : moins la quête d'une étincelle ou d'une stupeur, que le temps et les moyens d'atteindre à un rapport véritablement ajusté — fût-il d'angoisse.

Dans *Terraqué* (1945), le quatrième poème de la suite intitulée « Conscience » (p. 61) :

ARRIÈRE-PLAGE

Rocs, on vous guette — et votre soif
Attise un vent plus dur que le toucher des vagues.
Vous serez sable sec au goût de désespoir,
Strié du vent.

Bon pour litière aux coquillages,
Que la mer pour la mort
Jugea et rejeta.

Sortir de l'anecdotique

A ce qui pourrait constituer le début d'un *thriller* (« Rocs, on vous guette » : menace anonyme et angoisse d'une surveillance cachée) ou, à tout le moins, l'amorce d'un suspens et d'un face à face conflictuel, la suite du poème oppose des procédures permettant d'opérer un désengagement progressif. Cela se repère d'abord dans l'évolution du système pronominal sujet, c'est-à-dire de la structure actantielle initiale d'opposition entre on et vous : outre que sa valeur sémantique est immédiatement atténuée par une reprise figurative (votre soif — un vent) qui traduit plutôt un rapport de complémentarité, c'est l'opposition elle-même qui est ensuite atteinte, en deux temps : passage au seul vous dès le troisième vers ; recours à une phrase nominale dépourvue de toute marque d'énonciation dans la deuxième partie du texte. Le système temporel suit un parcours analogue : au présent de l'action en cours succède un futur sans doute menaçant, mais qui permet aussi d'introduire, avec « strié », la marque d'un état final. Et les deux passés simples du dernier vers consacrent, par leur valeur aspectuelle, le changement du point de vue narratif, la sortie définitive hors de toute référence à l'actualité d'une histoire particulière.

Cette manière d'invalider par étapes un imaginaire situationnel aux termes duquel le poète s'adresserait à des rochers bien déterminés, est renforcée par une troisième ligne d'évolution : les « rocs » interpellés dans leur pluralité deviennent « sable sec » et « litière », où l'effet conjugué du singulier et de l'absence de déterminant rejoint et éclaire la forme retenue pour le titre du poème. Il ne s'agit ici ni d'*une* arrière-plage précisément localisable, ni même d'un type géographique général (*l'*arrière-plage) : hésitant entre un statut de nom commun et un statut de nom propre (« Arrière-plage » devient un titre qui désigne le poème), le mot introduit à l'espace d'une expérience dont le texte et son écriture sont le lieu, plutôt que le compte rendu.

Sortir de l'anecdotique, c'est donc faire que le « domaine » des choses et du monde cesse de n'apparaître que sous l'aspect et la fonction d'un « décor », la toile sur le fond de laquelle se déroulerait l'aventure de la conscience et qui ne servirait qu'à la mettre en relief. Mais il ne devient possible de désarticuler ainsi la hiérarchisation de la représentation entre un accessoire et un essentiel qu'en accentuant la textualité elle-même aux dépens de la référence. D'une certaine manière, il ne se passe rien, ici, puisque les rocs sont seulement menacés d'un effritement futur en sable voué à fondre en lui les coquillages vides rejetés par la mer. Mais, à défaut d'être représentée, cette histoire de métamorphose — histoire de mort, en somme — s'accomplit dans le seul langage à travers l'effacement de toute marque de locution, la perte des déterminants et la modification du système temporel. Le texte passe bien d'un présent à un passé, mais cela reste un procès textuel : l'acquisition d'une certaine autonomie, qui vise à donner au poème son assise en le détachant de la seule sujétion référentielle.

La reprise

Le processus va s'amplifier par le recours à des procédés destinés à accentuer la « fermeture » du texte, à travers un système de reprises, d'échos et de retournements qui sont autant d'essais en vue d'atteindre à l'assurance du pas dont nous avons parlé.

Cela se traduit, au niveau sémantique, par une suite de renversements qui ne se contentent pas de rompre avec l'univers référentiel, mais concourent à replier les éléments évoqués sur eux-mêmes, dans un cycle autosuffisant de métamorphoses :

Transformation Actif-Passif :
— Rocs dressés en front de mer (position de guetteur) → guettés.
— Le vent marin attise la soif → Votre soif attise le vent.
— Le coquillage : enveloppe du mollusque → enveloppé par le sable.

Attributs contraires:

— Le vent, par nature volatile, reçoit la qualité sensible du solide (« dur »).

— La liquidité (« soif », « vagues ») n'est évoquée que pour l'annonce de la sécheresse future, et le mouvement (du vent, des vagues) que pour celle de la trace incrustée (« Strié du vent » : le vent n'est plus ce qui marque, mais la marque elle-même).

De manière cependant plus pertinente, parce que plus sensible, cette opération de concentration du texte sur lui-même est avant tout donnée à voir et à entendre. La disposition sur l'espace de la page montre une deuxième strophe constituée de vers qui, indépendamment de leur scansion, ont une dimension de plus en plus brève — ce qui répète le modèle des trois derniers vers de la première strophe. Mais des trois derniers vers seulement : cette forme de redoublement partiel, par reprise d'une séquence à l'exclusion de son début, évoque moins un équilibre qu'une sorte d'écho visuel, un mouvement de retour qui ponctue (plus qu'il ne le répète) le premier déploiement des mots et des vers, afin de mieux en marquer l'achèvement et comme l'immobilisation. Elle traduit un travail « graphique » d'autant plus remarquable qu'il ne se calque pas sur une métrique correspondante : le troisième vers est plus court que le second mais est aussi un alexandrin, et il en va de même pour les sixième et septième vers (hexasyllabes) :

v. 2 : 6/6 |————————| 4/4 : v. 5
v. 3 : 6/6 |——————| 3/3 : v. 6
v. 4 : 4 |————| 2/4 : v. 7

C'est le modèle de ce que l'on pourrait appeler la reprise, par référence à l'emploi donné à ce terme dans un travail de mise au point par répétition-correction d'un essai antérieur. Elle se traduit ici par le fait d'afficher simultanément une répétition et une différence (jeu des dimensions graphique et métrique), et d'échapper par là au seul principe de la symétrie et au risque de tournoiement indéfini qu'elle encourt. Elle est ainsi la forme et la ressource s'offrant à l'écriture du poète qui procède pas à pas. Une autre illustration en est donnée par les effets que provoque l'interférence entre les découpages métrique et syntaxique. Ainsi :

— « et votre soif » :
   — deuxième complément de verbe, au sein de la séquence constituée par le vers,

— sujet de la deuxième proposition, au sein de la phrase (qui s'étend sur deux vers).

— « Strié du vent » :
— apposé à « sable »,
— apposé à « désespoir ».

— « Bon pour ... » :
— adjectif (apposition à « sable »),
— nom (cf. Voici un bon pour ...).

L'intérêt de tels effets ne tient évidemment pas à une ambiguïté persistante (elle ne résiste guère à l'analyse, sauf peut-être pour le dernier exemple). C'est plutôt de rendre sensible le phénomène de la reprise au sein même de la lecture : la répétition s'accompagne d'un changement de fonction et/ou de classe, et le même syntagme, successivement affecté à chacune des constructions possibles, se lit en quelque sorte deux fois. Procédure de réajustement et de concentration progressive du poème, jusqu'au point d'arrêt qui marquera l'aboutissement du travail des mots.

Le point d'arrêt

C'est déjà ce qu'annonçait le titre. « Arrière-Plage » : non pas une détermination spatiale, mais une substance, un fondement à dégager, une origine et une fin — Tu es poussière... De la première à la deuxième strophe, nous passons, de fait (c'est aussi cela, la reprise) :
— d'un paysage de bord de mer qui est à la fois différencié (air/terre ; solide/liquide), habité (indices d'énonciation) et perçu par les sens (la vue, le toucher, le goût),
— à un ensablement dans lequel tout se fond, sous le signe de la mort, de l'absence et de l'in-sensibilité.
Mais cette métamorphose n'est possible que parce qu'elle connaît, nous l'avons dit, des modes textuels d'actualisation. Nous avons déjà évoqué le passage à la phrase nominale de la seconde strophe. Le processus est encore plus net, s'agissant du traitement de certains sons, et notamment du couple consonantique /g/-/k/ affiché dès le premier hémistiche du premier vers (« Rocs, on vous guette »), et répété dans les deux suivants avec une distribution qui souligne chaque fois un des éléments en le plaçant en fin de mot : « Rocs », « vagu(es) », « sec ». Outre le

symbolisme direct que l'on pourrait être tenté d'attacher à ce martèlement d'occlusives (dureté, etc.), c'est le caractère à la fois distinctif et insistant de ce couple qui retient. Car il disparaît dans la seconde strophe au profit du seul son /ž/, en trois étapes qui correspondent à chacun des vers :

a. un jeu sur la permanence de la lettre G permet, avec « coquillages », de substituer au couple /k/-/g/ le couple /k/-/ž/ : autre forme de la procédure de reprise (répétition graphique + différence phonique) ;

b. le son /k/ apparaît isolément pour la première et dernière fois ;

c. le son /ž/, attesté trois fois dans l'hexasyllabe final, envahit l'espace consonantique et marque la fin de la distinction de voisement (/k/-/g/ = sourde-sonore) qui, attestée trois fois également dans la strophe précédente, concourait à structurer l'organisation phonique des trois premiers vers.

Du point de vue métrique, le poème a recours à plusieurs modèles réguliers : octosyllabe, alexandrin, hexasyllabe et un vers de quatre syllabes. Mais le fait le plus intéressant tient à la place chaque fois accordée aux diverses césures, dans la mesure où seul le dernier vers échappe à une distribution en deux hémistiches égaux (6/6, 4/4 ou 3/3) :

Jugea / et rejeta (2/4).

Or cette forme d'expansion syllabique est à mettre en rapport avec l'organisation du premier vers :

Rocs, on vous guette / — et votre soif
1   /   3   //   4

où le premier hémistiche reçoit, du fait de l'interpellation initiale (cf. la virgule qui la suit), un important accent secondaire, et offre aussi l'exemple d'une expansion. L'important suspens que marque ensuite le tiret prélude à une « reprise » qui, par un segment de quatre syllabes (« et votre soif »), néglige cette première distribution et institue le modèle à hémistiches réguliers qui est observé par tous les vers suivants (à l'exception du quatrième, dont la brièveté interdit toute véritable césure, et du dernier). C'est donc en retrouvant un modèle métrique *analogue* à celui qui ouvrait le poème, que le septième vers peut à la fois rompre avec la symétrie antérieure et donner au poème son « assise » :

A.   1 + 3   /   4

gradation

Reprise instituant l'isochronie

B.   v. 5 : 4/4 = hémistiches de 4 syllabes
       v. 6 : 3/3 = hexasyllabe
       v. 7 : 2/4 = ⎧ — hexasyllabe + hémistiche de 4 syllabes
              ⎨   reprise des v. 5 et 6.
              ⎩ — gradation : reprise du 1er hémistiche du v. 1.

Cette mise en rapport du dernier vers et du premier hémistiche s'avère enfin particulièrement éclairante pour le commentaire qu'appelle le développement final du son /ž/. Il n'est, en effet, pas indifférent que celui-ci soit également :
— d'une part, le son sur lequel se termine la séquence du titre (« Arrière-plage »),
— d'autre part celui qui, au moment de la plus grande absence de toute représentation d'un locuteur, laisse entendre le « je » de la première personne du singulier.
Ce dernier paradoxe n'est qu'apparent : il nous dit que derrière (« Arrière »...) l'évocation de la mort, de l'anonymat et de l'indistinction, l'écriture peut, par le jeu des signifiants, dégager le fondement du « pré-texte » qui a servi d'amorce au poème : non pas l'apostrophe menaçante et anecdotique d'un promeneur à des rochers, mais l'ordre langagier de l'adresse, l'activité d'un sujet parlant.

On peut ainsi pressentir — à partir de quelques remarques qui ne prétendent à aucune exhaustivité — en quoi la poésie de Guillevic est régie par un travail de concentration. Elle appelle une lecture qui soit attentive aussi bien à la façon dont le texte pratique la répétition (prosodique, phonique, sémantique, etc.) qu'à la dimension syntagmatique de son déroulement. Comment il progresse — mais aussi : comment il s'arrête. Sur quelle stabilité enfin acquise ? Sur quel pas enfin assuré ? La nécessité de prendre en compte le point final tient à ce qu'il rejaillit sur l'organisation du rythme et du chant ; il semble même présider à leur mise en œuvre, dans la mesure où le jeu des échos et des répétitions ne se conduit qu'à travers une suite continue de légères modifications : autant de reprises animées par le dessein d'une justesse toujours plus grande. Le fait que, dans l'exemple retenu ci-dessus, le dernier vers fasse ressortir avec insistance le phonème terminal du titre n'est, bien sûr, qu'un hasard ; mais il illustre symboliquement l'exigence d'une concentration progressive qui, à la fois, dégage ce qui a donné au poème son impulsion (un rapport aux « choses » s'établissant uniquement dans et par la parole), et affirme comme fil « moteur » du texte la contrainte d'un aboutissement. Poésie de marcheur et non d'errant ; poésie du pas à pas, et non de la dérive.

Bruno GELAS

REPÈRES

Guillevic a rédigé lui-même la notice biographique ainsi que la bibliographie de ses propres œuvres. La bibliographie critique est due à Serge Gaubert.

DES DATES

1907 Naissance le 5 août, à Carnac (Morbihan), d'Eugène Alphonse Marie Guillevic, fils d'Eugène, marin, et de Jeanne David, couturière.

1909 Départ pour Jeumont (Nord) où le père est nommé gendarme.

1911 Ecole maternelle à Jeumont.

1912 Retour en Bretagne, à Saint-Jean-Brévelay (Morbihan) où le père est désormais affecté.

1912-1919 Ecole publique primaire à Saint-Jean-Brévelay et catéchisme. Certificat d'Etudes Primaires en 1919. Au cours de ces années passe toutes ses vacances à Carnac.

1919 Octobre. Départ pour Ferrette (Haut-Rhin) où le père est nommé maréchal des logis, chef de brigade.

1920 Février. Entrée en cinquième au collège d'Altkirch. Lever à quatre heures chaque matin. Deux fois par jour, deux heures de chemin de fer pour les trajets aller et retour Ferrette-Altkirch. Apprend l'allemand et l'alémanique.

1924 Premier baccalauréat.

1925 Baccalauréat de math. élém. Connaissance du poète alsacien Nathan Katz, son aîné d'une quinzaine d'années.

1926 Entrée dans l'Administration de l'Enregistrement comme surnuméraire à Huningue (Haut-Rhin).

1927 Interim de plusieurs bureaux d'enregistrement dans le Haut-Rhin. Appel sous les drapeaux à la septième section de C.O.M.A. à Besançon (Doubs).

1928 Affectation à l'Intendance de Mayence (Allemagne) en tant qu'interprète auxiliaire. Deux séjours à l'hôpital militaire du Val de Grâce à Paris, entrecoupés d'une convalescence de trois mois à Strasbourg où le père est maintenant adjudant-chef de gendarmerie.

1929 Nouvelle affectation au bureau d'enregistrement de Huningue. Nombreux interims dans le Haut-Rhin et le Bas-Rhin.

1930 Est nommé receveur de l'Enregistrement au bureau de Rocroi (Ardennes). En septembre, mariage avec Alice Munch.

1932 Est nommé receveur-rédacteur à la Direction de l'Enregistrement à Mézières (Ardennes). Habite Charleville. Naissance d'une première fille.

1934 Après le 6 février, éveil politique. Naissance d'une deuxième fille.

1935 Est nommé rédacteur principal à la Direction Générale au ministère des Finances, rue de Rivoli à Paris.

1936-37 Vit intensément le Front populaire et la montée du fascisme (guerre d'Espagne). Contacts avec des poètes et en particulier avec Jean Follain.

1938 Publication de *Requiem* (collection Sagesse, Tschann éditeur).

1939 Mobilisation à Dôle (Jura), à la septième section du C.O.M.A. En décembre, départ pour Bourguenais (faubourg de Nantes) à l'Ecole militaire de l'Administration. De Besançon à Nantes, voyage avec Marcel Arland qui deviendra son grand ami.

1940 En avril, affectation au ministère de la Guerre, direction de l'Intendance. Repli à Terrasson (Dordogne). Retour à Paris en juillet. Reprise du travail au Ministère.

1941 Remise du manuscrit de *Terraqué* à Marcel Arland pour Gallimard. Rencontre alors notamment Jean Paulhan et Drieu La Rochelle. En août, premier contact avec un combattant de la Résistance, André Adler.

1942 Est affecté au Contrôle économique. Adhésion au Parti Communiste. Publication de *Terraqué* chez Gallimard. Rencontre d'Eluard et naissance de leur amitié. Collaboration à l'*Honneur des Poètes*.

1945-1947 De novembre 45 à mars 47, cabinets ministériels des ministres communistes à l'Economie nationale et à la Reconstruction. Trésorier du C.N.E. (Comité national des Ecrivains) jusqu'à la mise en sommeil de l'association au début des années 70.

1946 Est nommé inspecteur de l'Economie nationale.

1947 Après l'éviction des ministres communistes, rejoint l'Inspection Générale de l'Economie nationale où il s'occupe d'études de la conjoncture, d'action régionale, de coordination des économies de la métropole et des pays de l'Afrique du Nord, etc.

1945-56 Jusqu'à la publication du rapport Khrouchtchev (dénonciation des crimes de Staline), grande activité militante qui coïncide avec une période de creux poétique.

1960 Après cette date, retour à une intense activité poétique liée à une mise à l'écart par l'Administration et une moindre activité militante.

1963 Mise en congé spécial.

1967 Mise à la retraite.

Depuis 1963, surtout, a pas mal voyagé, à l'occasion, souvent, de festivals poétiques : Algérie, Allemagne — R.D.A., Berlin, R.F.A. — Angleterre, Autriche, Belgique, Bulgarie, Canada — Québec, Ontario — Ceylan, Cuba, Djibouti, Espagne, Etats-Unis, Finlande, Grèce, Hollande, Hongrie, Hong-Kong, Irlande, Italie, Inde, Indonésie, Japon, Korée, Liban, Luxembourg, Malaisie, Philippines, Pologne, Roumanie, Sénégal, Singapour, Suisse, Tunisie, Union Soviétique — Georgie, Russie, Ukraine — Yemen du Sud, Yougoslavie.

Consacre une partie de son temps à militer au sein des organisations d'écrivains : *Union des Ecrivains* dont il a été l'un des fondateurs en mai 1968, *Conseil Permanent des Ecrivains, Académie Mallarmé*. Participe à l'activité du *Centre national des Lettres* et de *l'Agessa*.

Pour la date de publication des œuvres, voir plus loin la notice bibliographique.

•

ŒUVRES DE GUILLEVIC

1938 *Requiem*. Tschann.
1942 *Terraqué*. Gallimard.
1946 *Elégies*. Avec une lithographie originale de Dubuffet. Editions du Point du jour.
   Amulettes. Editions Pierre Seghers. Les poèmes d'*Elégies* (sauf un) et d'*Amulettes* ont été repris dans *Exécutoire*.
1947 *Fractures*. Couverture de Prassinos. Editions de Minuit. Repris dans *Exécutoire*.
   Exécutoire. Gallimard.
1948 *Coordonnées*. Avec des dessins de Fernand Léger. Trois Collines. Repris dans *Gagner*.
1949 *L'homme qui se ferme*. Illustré par Edouard Pignon. Réclame-Paris. Repris dans *Gagner*.
   Gagner. Gallimard.
   Les chansons d'Antonin Blond. Editions Pierre Seghers.
1950 *Les Murs*. Avec des lithographies de Dubuffet. Les Editions du Livre. Repris dans *Exécutoire*.
1951 *Envie de Vivre*. Editions Pierre Seghers.
   Le Gout de la Paix. Au colporteur. Repris dans *Terre à Bonheur*.
1952 *Nita*. P.A.B. Hors commerce.
   Terre à Bonheur. Editions Pierre Seghers.
1954 *Trente et un sonnets*. Gallimard.
1955 *L'âge Mûr*. Avec des dessins de Boris Taslitzky. Editions Cercle d'Art.
1961 *Carnac*. Gallimard.
1963 *Sphère*. Gallimard.
1966 *Avec*. Gallimard.
1967 *Euclidiennes*. Gallimard.
1968 *Terraqué* suivi de *Exécutoire*. Gallimard, Coll. Poésie.
1969 *Ville*. Gallimard.
   Temple du Merle. Avec des gravures de Jacques Lagrange. Editions Galanis. Repris dans *Encoches*.
1970 *Choses*. Avec des gravures de Staritsky. Editions Le Bouqet. Repris dans *Encoches*.
   De la Prairie. Avec des gravures de Staritsky. Editions Jean Petithory. Repris dans *Etier*.
   Paroi. Gallimard.
   Encoches. Editeurs Français Réunis.
1971 *De l'Hiver*. Avec des dessins de André Beaudin. Editions Galanis. Repris dans *Etier*.

1971 *Dialogues*. Avec une gravure de Roger Bertemes, Origine. Edition bilingue : français et italien. Repris dans *Autres*.

1973 *Racines*. Avec des compositions de Robert Blanchet. Editeur Robert Blanchet.
Inclus. Gallimard.
Hippo et Hippa. Avec des illustrations de Yutaka Sugita. Hachette.
Cymballum. Avec des aquatintes d'Alfred Manessier. Le Vent d'Arles.

1974 *Supposer*. Avec une gravure de Lise Le Cœur. Dix poèmes dont huit sont repris dans *Autres*. Edition Commune Mesure.
L'Herbier de la Bretagne, présentation. Editions Tchou-Laffont. Repris dans *Etier*.

1975 *Medor-Tudor*. Avec des images de Arnaud Laval. Editions de La Farandole.
Encoches-Askennou. Edition bilingue : français et breton. Traduction de Pierre Jakez Hélias. Editeurs Français Réunis.

1976 *La danse des Korrigans*. Avec des images de Sophie Mathey. Editions de La Farandole.
Delta. Avec des eaux-fortes de Bernard Louédin. Quinze poèmes inédits dont *Tenaille* repris dans *Trouées* sous le titre de *Sérénade* et quatorze *Suppose* dont treize ont été repris dans *Autres*. Chez le peintre.

1977 *Du Domaine*. Gallimard.
Babioles. Avec un frontispice de Giai-Minet. Regard-Parole.
Sphère suivi de *Carnac*. Gallimard. Collection poésie.
Magnificat. Avec des lithographies de Le Yaouanc. Editions Carmen Martinez. Repris dans *Trouées*.

1978 *Conjugaison*. Edition Commune Mesure.

1979 *Alto*. Avec des lithographies de Renée Lubarow. Edition R.L.D. Le poème *Déjà* qui figure dans *Alto* a été repris dans *Trouées*.
Fifre. Album avec des lithographies de Pol Bury. Editions Maeght.
Suppose. Avec des reliefs de Marc Pessin. Editions Le Verbe et l'Empreinte. Dix-neuf poèmes sur les vingt publiés ont été repris dans *Autres*.
L'Abeille. Illustré par Serge Otis. Edition Esterel.
Etier. Gallimard.

1980 *Harpe*. Avec des bois originaux dont trois en couleurs de Jean Bazaine. Editions Galanis.
Parcs. Album avec huit lithographies de Jean-Pierre Cassigneul. Editions Mazo.
Parcs. Avec une lithographie de Jean-Pierre Cassigneul. Editions Mazo.
Familiers. Avec des bois originaux de Gérard Blanchet.
La Fleur et *Le Laurier* sont repris dans *Trouées*. Imprimerie du Compagnonage.
Babiolettes. Editions Saint-Germain-des-Prés.
Vivre en Poésie. Entretien avec Lucie Albertini et Alain Vircondelet. Stock.

Autres. Gallimard.

1981 *Por en Dro.* Avec des eux-fortes de Dorny. Edition La Source.

La Bretagne. Présentation. Temps Actuels.

Fabliettes. Avec des illustrations de Laurie Jordan. Coll. Folio benjamin. Gallimard.

Mammifères. Avec des empreintes d'Abidine. Arfuyen.

Gagner. Edition définitive. Gallimard.

Trouées. Gallimard.

1982 *Regards.* Album avec huit lithographies de Jean-Pierre Cassigneul. Editions Mazo.

Regards. Avec une lithographie de Jean-Pierre Cassigneul. Editions Mazo.

Choses Parlées. Entretiens avec Raymond Jean. Editions Champ Vallon.

Guitare. Avec des bois originaux en couleurs de Gérard Blanchet. Les Bibliophiles de France.

Nuit. Avec des lithographies de Wanda Davanzo. Repris dans *Requis.* Chez le peintre.

Blason de la Chambre. Avec des dessins de Denise Esteban. Les Presses d'Aujourd'hui.

A paraître :

Guillevic, un Poète. Folio junior en poésie. Gallimard.

Requis. Recueil.

Orgue. Avec des gravures de Mireille Brunet-Jailly.

La Montagne. Avec des gravures de Patrice Pouperon.

Racines. Avec des gravure de Georges Ball.

Des Bêtes. Avec des gravures de Bernard Mandeville.

TRADUCTIONS : PRINCIPAUX OUVRAGES

Allemand :

Bertold Brecht : *Mère Courage*, Arche.
Bertold Brecht : *Baâl*, Arche.
Bertold Brecht : *Poèmes*, Arche.
Wolfgang Goethe : *Chansons de Faust*, Solin.
Stephen Herlim : *Crépuscule*, Presses d'Aujourd'hui.
Georg Trakl : *15 poèmes*, Obsidiane.

A paraître :

Ernst Stadler : *15 poèmes*, Arfuyen.

Finnois :

Markku Lahtela : *Je t'aime, vent noir*, Obsidiane.

Hongrois :

György Somlyó : *Souvenir du présent*, Seghers.
György Somlyó : *Contrefables*, Gallimard.
Mes poètes hongrois, Corvina.

Italien :

Mimmo Morina : *Hiera*, Alcione/Trento.

Roumain :

Maria Banus : *Joie*, Seghers.
Mihai Beniuc : *Poète d'aujourd'hui*, Seghers.
Nina Cassian : *Virages*, Ed. Eminescu.

Russe :

Iliazd : *Un de la Brigade*, Elie Zdanevitch.

Ukrainien :

Tarass Chevtchenko : *Poète d'aujourd'hui*, Seghers.

A participé à l'anthologie de poésie et de littérature alsacienne et aux anthologies de poésies bulgare, hongroise, macédonienne, portugaise, roumaine, russe ainsi qu'aux recueils des poètes hongrois Sándor Petöfi et Attila Jóseph.
Plusieurs de ses poèmes ont été traduits dans une cinquantaine de langues.

BIBLIOGRAPHIE CRITIQUE

A. *Ouvrages entièrement consacrés à Guillevic*

Daix (Pierre). — Guillevic. Paris, Seghers (Poètes d'aujourd'hui), 1954.
Tortel (Jean). — Guillevic. Paris, Seghers (Poètes d'aujourd'hui), 1962.
Dubacq (Jean). — Guillevic. Paris, Éditions de la Tête de Feuilles, 1972.

B. *Articles publiés dans des revues ou dans des ouvrages non entièrement consacrés à Guillevic*

Gros (Léon-Gabriel). — « Un Exorciste : Guillevic », *Cahiers du Sud*, n° 257, juin 1943, p. 460 à 471.
Roy (Claude). — *Descriptions Critiques*. 1re éd., Paris : Gallimard, 1943, p. 312 à 315.
Laude (Jean). — « La poésie, le signe et l'outil ». *Critique*, tome IV, n° 30, novembre 1948, p. 1044 à 1048.
Aragon (Louis). — Lettre. « Discussion sur la poésie ». *Europe*, n° 111, mars 1955.
Tortel (Jean). — Lettres à Guillevic (*ibid.*).
Daix (Pierre). — Lettre (*ibid.*).
Chaulot (Paul). — « Guillevic aux confins de l'homme et des choses ». [Carnac] *Critique*, t. XVII, n° 175, décembre 1961, p. 1046 à 1053.
Clancier (Georges-Emmanuel). — « Une voix retrouvée ». *Mercure*, n° 343, 1961, p. 684 à 689.
Gros (Léon-Gabriel). — « Le Violon de Carnac ». *Cahiers du Sud*, n° 51, 1961, p. 290 à 293.
Liberati (André). — « *Carnac* de Guillevic ». *La Nouvelle Critique*, n° 125, avril 1961, p. 100 à 103.
Lucot (Henri). — « L'humanité de Guillevic ». *Nouvelle Revue Française*, n° 19, 1962, p. 573 à 575.
Bosquet (Alain). — « Guillevic ou la conscience de l'objet ». *Nouvelle Revue Française*, n° 131 de novembre 1963, p. 876 à 882.
Gaucheron (Jacques). — « Guillevic en 1963 ». *Europe*, n° 415-416, novembre, décembre 1963, p. 263 à 272.
Houdebine (Jean-Louis). — « *Sphère* ou la sérénité gagnée ». *La Nouvelle Critique*, n° 153, février, mars 1964, p. 54 à 62.
Richard (Jean-Pierre). — « Un poète du dehors : Guillevic ». *Critique*, n° 20, 1964, p. 195 à 219.
Richard (Jean-Pierre). — « Guillevic », in *Onze études sur la poésie moderne*, Paris, Ed. du Seuil, 1964, pp. 183 à 206.

Malrieu (Jean). — «*Sphère* ou les dimensions de la bonté». *Cahiers du Sud*, LVII, n° 376 de février 1964, p. 292 à 295.

Barbier (René). — «Guillevic, poète de la condition humaine». *Revue Iô*, n° 16-17 de 1965.

Cluny (Claude-Michel). — «Avec». *Nouvelle Revue Française*, n° 27, 1966, p. 704 à 706.

Houdebine (Jean-Louis). — «Le Thème du temps dans le dernier recueil de Guillevic». *La Nouvelle Critique*, n° 177 de juin-juillet 1966, p. 75 à 92.

Marissel (André). — «Avec». *Esprit*, n° 34, 5 (mai 1966), p. 1124 à 1126.

Tortel (Jean). — «Le Deuxième cycle de Guillevic». *Critique*, n° 223 d'octobre 1966, p. 818 à 821.

Grivel (Charles). — «Guillevic ou le peu de discours». *Het Franse boek*, n° 37, 1967, p. 38 à 40.

Houdebine (Jean-Louis). — «Figures en regard». *Critique*, n° 247 de décembre 1967, p. 996 à 1004.

Borel (Jacques). — «Guillevic». *Nouvelle Revue Française*, n° 32 d'août 1968, p. 99 à 110.

Jaccottet (Philippe). — «En face» puis «Avec», Philippe Jaccottet, *l'entretien des muses*, Paris, 1968, p. 183 à 188.

Miguel (André). — «Guillevic». *La Nouvelle Revue Française*, n° 34, 1969, p. 130 à 132.

Pierre (Rolland). — «*Terraqué, Exécutoire*. La Démarche poétique de Guillevic». *La Nouvelle Critique*, n° 24 de mai 1969, p. 38 à 40.

Bosquet (Alain). — «Guillevic». *La Revue de Paris*, n° 76, 10 (octobre 1969), p. 118 à 120.

Bosquet (Alain). — «Paroi». *La Nouvelle Revue Française*, n° 221 de mai 1971, p. 85 à 86.

Fournel (Lucette). — «La maturité de Guillevic, poète celte, dans le recueil *Avec*». *Annales de Bretagne*, n° septembre 1971, p. 573 à 586.

Juin (Hubert). — «Guillevic et la ville» in *L'usage de la critique*, Bruxelle: André de Rache, 1971, 238 p., (Mains et Chemin, 2), (p. 224 à 227).

Levy (Sidney). — «Paroi». *The French Review*, (Baltimore), n° XLV (1971/1972), p. 1178-1179.

Onimus (Jean). — «La géométrie poétique de Guillevic». *Revue d'Esthétique*, n° 3 ou 24, 1971, p. 247 à 256.

Sojcher (Jacques). — «Inventaire, Mythologie». *Critique*, n° 285 de février 1971, p. 149 à 154.

Benoit (Monique). — «Guillevic une géométrie obsessionnelle». *Etudes Littéraires*, n° d'août 1972, p. 291 à 308.

Gaucheron (Jacques). — «Guillevic». [Paroi]. *Europe*, n° 513-514, janvier/février 1972, p. 216 à 218.

Munier (Roger). — «Face à face Guillevic». *Critique*, n° 302 de juillet 1972, p. 623-642.

Onimus (Jean). — «Le mur et la sphère chez Guillevic». *Revue des Sciences Humaines*, n° d'octobre/décembre 1972, p. 583 à 602.

Clancier (Georges-Emmanuel). — «Guillevic» in *La Poésie et ses environs*, 1ʳᵉ éd., Paris: Gallimard, 1973, p. 203 à 222.

Onimus (Jean). — «Une géométrie poétique» in *Expérience de la poésie*, 1ʳᵉ éd., Paris: Desclée de Brouwer, 1973, p. 148 à 158.

Onimus (Jean). — «Le Poète et la ville: Guillevic». *Littérature et Société*, 1973, Desclée de Brouwer, pp. 371-385.

Mambrino (Jean). — «Guillevic». *Études*, n° CCCXXXVIII, 1973, pp. 882-885.

Gaubert (Serge). — «Guillevic, sculpteur sur silence». *Travaux VII*, Université de Saint-Etienne, 1974, p. 101 à 111.

Coenen-Mennemeier (Brigitte). — «Strukturalismus und Dichtung für alle. Zu einem poetologischen Gedicht Guillevic's». *Lendemains*. — (Zeitschrift für Frankreichforschung und Französischstudium, n° 2 (Aug. 1975), p. 91 à 99.

Cassian (Nina). — «Combat avec Guillevic». *Nouvelle Revue Française*, n° 293, mai 1977, p. 75-76.

Clancier (Georges-Emmanuel). — «Les Deux Routes». *Nouvelle Revue Française*, n° 293, mai 1977, p. 53 à 58.

Deguy (Michel). — «Portrait de Guillevic en Eugène». *Nouvelle Revue Française*, n° 293, mai 1977, p. 88 à 90.

Dib (Mohammed). — «Guillevic et nous». *Nouvelle Revue Française*, n° 293, mai 1977, pp. 80-82.

Jean (Raymond). — «Probablement la ville». *Nouvelle Revue Française*, n° 293, mai 1977, p. 66 à 74.

Juin (Hubert). — «Le Mur et les paroles». *Nouvelle Revue Française*, n° 293, mai 1977, p. 82 à 85.

Munier (Roger). — «Le Pouvoir des mots». *Nouvelle Revue Française*, n° 293, mai 1977, p. 85 à 88.

Onimus (Jean). — «L'Obstacle et la fête». *Nouvelle Revue Française*, n° 293, mai 1977, p. 62 à 66.

Oster Soussouev (Pierre). — «Toutes les présciences». *Nouvelle Revue Française*, n° 293, mai 1977, pp. 90-92.

Prévost (Claude). — «Le Savant ouvrier des mots». *Nouvelle Revue Française*, n° 293, mai 1977, p. 58 à 62.

Rousselot (Jean). — «Parce qu'il se ressemble». *Nouvelle Revue Française*, n° 293, mai 1977, p. 50 à 52.

Somlyo (György). — «Silence et parole de Guillevic». *Nouvelle Revue Française*, n° 293, mai 1977, p. 76 à 80.

Tortel (Jean). — «A la première lecture». *Nouvelle Revue Française*, n° 293, mai 1977, p. 47 à 50.

Cohen (Marcel). — «Du Domaine». *Nouvelle Revue Française*, n° 309, d'octobre 1978, p. 89-92.

Jean (Georges). — «Le Domaine de Guillevic». *Le Français Aujourd'hui*, n° 41, mars 1978, p. 75 à 80 (Anthologie permanente de la poésie).

Marissel (André). — «Du Domaine». *Esprit*, n° 1 de janvier 1978, p. 128 à 129.

Jean (Raymond). — « Sur Guillevic », in *Pratique de la littérature-Roman/Poésie*, Paris, éd. du Seuil, 1978, p. 182 à 200.

Bishop (Michael). — « Du Domaine ». *French Review*, L II, 1978-1979, pp. 512-513.

Cloutier (Guy). — « *Du Domaine,* un chant initiatique ? ». *La Nouvelle Barre du Jour*, n° 74, janvier 1979, p. 65 à 69.

Gleize (Jean-Marie). — « Guillevic, lettre, l'étang ». *Littérature*, n° 35 d'octobre 1979, p. 75 à 88.

Mambrino (Jean). — « Toutes les minutes qui peuvent être des noces ». *Etudes*, CCCLIII, juillet-décembre 1980, pp. 497-500.

Turksma-Heidjmann (B.). — « Les figures de style de la poésie matérialiste d'E. Guillevic ». Rapports LI Het Franse Boek n° 4, 1981, p. 158 à 162.

Dobzynski (Charles). — « Etier ». « Suppose ». *Europe* n° 611, mars 1980, pp. 238-239.

Jean (Raymond). — « Entretien avec Guillevic ». *Sud* X, 1980, p. 4 à 19.

Maitre (Luce Claude). — « Guillevic le bref ». *Europe* n° 625, mai 1981, p. 117 à 122.

Serge GAUBERT

La fabrication de cet ouvrage
a été réalisée
par l'Imprimerie Chirat, 42540 Saint-Just-la-Pendue

Achevé d'imprimer en juillet 1983
N° d'impression 6325
Dépôt légal juillet 1983

IMPRIMÉ EN FRANCE